上海译文出版社

图书在版编目（CIP）数据

小猪威尔伯/（美）E·B·怀特著；任溶溶译.—
上海：上海译文出版社，2018.7（2019.7重印）
（夏洛的网：注音版）
书名原文：Charlotte's Web
ISBN 978-7-5327-7867-6

Ⅰ.①小… Ⅱ.①E… ②任… Ⅲ.①童话—美国—现代
Ⅳ.①I712.88

中国版本图书馆CIP数据核字（2018）第090471号

图字：09-2018-498号

小猪威尔伯（夏洛的网·注音版）
［美］E·B·怀特 著 任溶溶 译 ［美］加思·威廉姆斯 绘
选题策划/赵平 责任编辑/朱昕蔚 张顺
封面插图/上超工作室 装帧设计/黑猫工作室

上海译文出版社有限公司出版、发行
网址：www.yiwen.com.cn
200001 上海福建中路193号
浙江新华数码印务有限公司印刷

开本 760×1330 1/24 印张 4.5 字数 32,000
2018年7月第1版 2019年7月第6次印刷

ISBN 978-7-5327-7867-6/I·4836
定价：18.00元

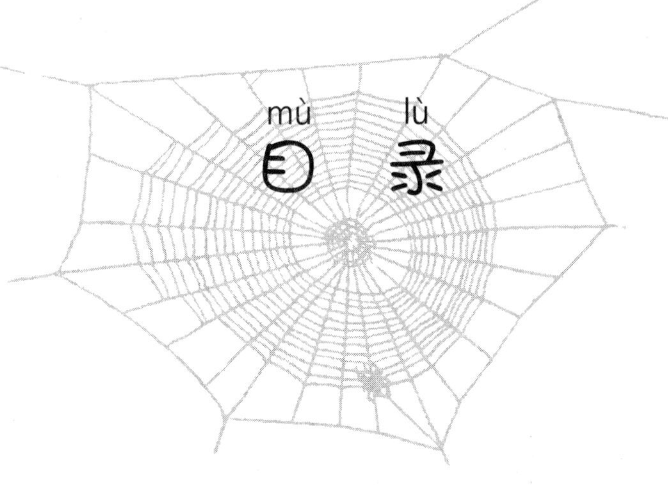

mù lù
目录

zǎo fàn qián
早饭前

bà ba ná zhe nà bǎ fǔ zi qù nǎ er bǎi zhuō zi chī
“爸爸拿着那把斧子去哪儿？”摆桌子吃
zǎo fàn de shí hou fú ēn wèn tā mā ma
早饭的时候，弗恩问她妈妈。

qù zhū juàn ā lā bù ěr tài tai huí dá shuō zuó tiān
“去猪圈，”阿拉布尔太太回答说，“昨天
yè lǐ xià xiǎo zhū le
夜里下小猪了。”

wǒ bù míng bai tā gàn má yào ná zhe bǎ fǔ zi qù
“我不明白，他干吗要拿着把斧子去。”
zhǐ yǒu bā suì de fú ēn yòu shuō
只有八岁的弗恩又说。

zhè ge ma tā mā ma shuō yǒu yì zhī xiǎo zhū shì luò
“这个嘛，”她妈妈说，“有一只小猪是落
jiǎo zhū tā tài xiǎo tài ruò bú huì yǒu chū xi yīn cǐ nǐ bà
脚猪。它太小太弱，不会有出息。因此你爸

ba ná dìng zhǔ yi bú yào tā
爸拿定主意不要它。”

bú yào tā fú ēn yì shēng jiān jiào nǐ shì shuō yào
“不要它？”弗恩一声尖叫，“你是说要
shā diào tā zhǐ wèi le tā bǐ bié de zhū xiǎo
杀掉它？只为了它比别的猪小？”

ā lā bù ěr tài tai zài zhuō zi shang fàng xià nǎi yóu gāng
阿拉布尔太太在桌子上放下奶油缸。
bié rāng rang fú ēn tā shuō nǐ bà ba shì duì de
“别嚷嚷，弗恩！”她说，“你爸爸是对的。
nà xiǎo zhū fǎn zhèng huó bù liǎo
那小猪反正活不了。”

fú ēn tuī kāi dǎng dào de yì bǎ yǐ zi pǎo chū qù le
弗恩推开挡道的一把椅子，跑出去了。
qīng cǎo shī shī de ní tǔ sàn fā zhe yì gǔ chūn tiān de qì xī
青草湿湿的，泥土散发着一股春天的气息。
děng dào zhuī shàng bà ba fú ēn de fān bù xié dōu shī le
等到追上爸爸，弗恩的帆布鞋都湿了。

qǐng bú yào shā tā tā yǎn lèi wāng wāng de shuō zhè
“请不要杀它！”她眼泪汪汪地说，“这
bù gōng píng
不公平。”

ā lā bù ěr xiān sheng tíng xià le jiǎo bù
阿拉布尔先生停下了脚步。

fú ēn tā wēn hé de shuō nǐ děi xué huì kòng zhì
“弗恩，”他温和地说，“你得学会控制

自己。”

“控制自己？”弗恩叫道，“这是生死攸关的事，你还说什么控制自己。”泪珠滚滚滑落她的面颊，她一把抓住斧子，打算把它从爸爸手里抢下来。

“弗恩，”阿拉布尔先生说，“养小猪的事我比你懂。落脚猪麻烦大着呢。现在让开吧！”

“可是这不公平，”弗恩叫道，“小猪生下来小，它自己也没办法，对不对？要是我生下来的时候很小很小，你也把我给杀了吗？”

阿拉布尔先生微笑了。“当然不会，”

tā shuō zhe téng ài de dī tóu kàn zhe nǚ ér bú guò zhè shì
他说着，疼爱地低头看着女儿，“不过这是
liǎng mǎ shì nǚ hái xiǎo shì yì huí shì luò jiǎo zhū xiǎo yòu shì yì
两码事。女孩小是一回事，落脚猪小又是一
huí shì
回事。”

wǒ kàn bù chū yǒu shén me liǎng yàng fú ēn huí dá shuō
“我看不出有什么两样，”弗恩回答说，
réng jiù zhuā zhù fǔ tóu bú fàng wǒ tīng dào guo nà me duō bù gōng
仍旧抓住斧头不放，“我听到过那么多不公
píng de shì zhè jiàn shì shì zuì zuì bù gōng píng de
平的事，这件事是最最不公平的。”

ā lā bù ěr xiān sheng liǎn shang lüè guò yì zhǒng gǔ guài de
阿拉布尔先生脸上掠过一种古怪的
shén qíng tā zì jǐ hǎo xiàng yě yào kū le
神情，他自己好像也要哭了。

hǎo ba hǎo ba tā shuō nǐ xiān huí qù wǒ huí jiā
“好吧好吧，”他说，“你先回去，我回家
de shí hou bǎ zhè luò jiǎo zhū dài huí lái ràng nǐ yòng nǎi píng wèi tā
的时候把这落脚猪带回来，让你用奶瓶喂它
nǎi xiàng wèi xiǎo bǎo bao shì de zhè xià zi nǐ jiù huì kàn dào
奶，像喂小宝宝似的。这下子你就会看到，
duì fu yì zhī xiǎo zhū yǒu duō me má fan le
对付一只小猪有多么麻烦了。”

bàn xiǎo shí hòu ā lā bù ěr xiān sheng huí jiā lái le gā
半小时后，阿拉布尔先生回家来了，胳

肢窝里真夹着一个纸箱。这时候弗恩正在楼上换她的帆布鞋。厨房的桌子上，早饭已经摆好，房间里透着咖啡、熏肉的香味，湿灰泥的气味，还有从炉子里飘出来的柴火烟味。

“把它放到她的椅子上去！”阿拉布尔太太说。阿拉布尔先生就把纸箱放在弗恩的位子上，然后走到水池旁边洗了手，还用滚筒架上的擦手毛巾擦擦干。

弗恩慢慢地一步一步下楼。她的眼睛哭红了。当她走近她那把椅子的时候，那纸箱摇摇晃晃的，里面发出抓扒的声音。弗恩看看她爸爸，接着她掀起纸箱盖。从里

miàn tái tóu kàn zhe tā de zhèng shì gāng shēng xià lái de nà zhī xiǎo
面抬头看着她的，正是刚生下来的那只小
zhū shì zhī xiǎo bái zhū chén guāng tòu guò tā de ěr duo bǎ tā
猪，是只小白猪。晨光透过它的耳朵，把它
men yìng chéng le fěn hóng sè
们映成了粉红色。

tā shì nǐ de le ā lā bù ěr xiān sheng shuō nǐ
“它是你的了，”阿拉布尔先生说，“你
ràng tā miǎn yú shēng xià lái jiù sǐ yuàn lǎo tiān yé yuán liàng wǒ
让它免于生下来就死。愿老天爷原谅我
zuò le zhè shǎ shì
做了这傻事。”

fú ēn dīng zhe xiǎo zhū kàn yǎn jing zěn me yě lí bù kāi
弗恩盯着小猪看，眼睛怎么也离不开
tā ō tā hěn qīng hěn qīng de shuō ō qiáo tā tā
它。“噢，”她很轻很轻地说，“噢，瞧它！它
bàng jí le
棒极了！”

tā xiǎo xīn de gài shàng zhǐ xiāng tā xiān qīn qin bà ba zài
她小心地盖上纸箱。她先亲亲爸爸，再
qīn qin mā ma rán hòu tā yòu dǎ kāi xiāng gài bǎ xiǎo zhū bào
亲亲妈妈。然后她又打开箱盖，把小猪抱
chū lái tiē zài liǎn dàn shang zhè shí hou tā gē ge ài fú lǐ zǒu
出来，贴在脸蛋上。这时候她哥哥艾弗里走
jìn fáng jiān ài fú lǐ shí suì tā quán fù wǔ zhuāng yì
进房间。艾弗里十岁。他全副武装——一

zhī shǒu wò zhù yì zhī qì qiāng yì zhī shǒu wò zhù yì bǎ mù tou
只手握住一支气枪，一只手握住一把木头
duǎn dāo
短刀。

nà shì shén me wán yì er tā wèn dào fú ēn dé
“那是什么玩意儿？”他问道，“弗恩得
dào shén me le
到什么了？”

tā lái le wèi kè rén chī zǎo fàn ā lā bù ěr tài tai
“她来了位客人吃早饭，”阿拉布尔太太
shuō nǐ qù xǐ xi shǒu xǐ xi liǎn
说，“你去洗洗手洗洗脸
ba ài fú lǐ
吧，艾弗里！”

ràng wǒ lái kàn kan tā
“让我来看看它，”
ài fú lǐ fàng xià
艾弗里放下
qiāng shuō zhè
枪说，“这
me kě lián de xiǎo
么可怜的小
dōng xi yě néng jiào zuò
东西也能叫做
zhū tā zhēn shì zhū guā guā
猪？它真是猪呱呱

叫的样板——还没有一只白老鼠大。”

“快去洗洗，来吃早饭，艾弗里！”他妈妈说，“还有半个钟头校车就到了。”

“我也可以有只猪吗，爸爸？”艾弗里问道。

“不，我只把猪送给早起的人，”阿拉布尔先生说，“弗恩天一亮就起来打抱不平，要扫尽天下不平事。结果呢，她现在得到了一只小猪。没错，它是很小，只有一丁点大，不过到底还是猪。这正好证明，早起的人会有什么好处。好了，我们吃早饭吧！”

可宝贝小猪不先喝上牛奶，弗恩是吃不下去的。阿拉布尔太太找来一个婴儿奶

píng hé yí gè xiàng pí nǎi zuǐ tā bǎ rè niú nǎi guàn jìn nǎi
瓶和一个橡皮奶嘴。她把热牛奶灌进奶

píng tào shàng nǎi zuǐ dì gěi fú ēn shuō gěi tā chī tā de zǎo
瓶，套上奶嘴，递给弗恩说：“给它吃它的早

fàn ba
饭吧！”

紧接着，弗恩坐在厨房角落的地板上，把她的小宝宝放在膝间，教小猪吸奶瓶。小猪虽然小，胃口却很好，很快就学会了。

校车在大路上按喇叭了。

“快跑！”阿拉布尔太太抱起弗恩怀里的小猪，在她手里塞了个炸面圈，吩咐说。艾弗里抓起他的枪，又拿了一个炸面圈。两个孩子奔到外面大路上，上了车。弗恩不理车上的其他同学。她只是坐在那里看着车窗外，一个劲儿地想，这是一个多么快乐的世界啊，她一个人拥有一只小猪，又是多么福气啊。等校车来到学校时，弗恩已经给她的宝贝猪取好了名字，一个她想得出来的最漂亮的名字。

“它的名字叫威尔伯。”她悄悄地对自己说了一声。

她正在想着她的小猪，这时老师问道：“弗恩，宾夕法尼亚州的首府叫什么名字？”

“威尔伯[1]。”弗恩像做梦似的说。同学们格格笑起来。弗恩脸都红了。

---

1 美国宾夕法尼亚州的首府应该是哈里斯堡。

xiǎo zhū wēi ěr bó

小猪威尔伯

fú ēn ài wēi ěr bó shèng guò yí qiè tā ài fǔ mó tā
弗恩爱威尔伯胜过一切。她爱抚摩它，

wèi tā bǎ tā fàng zài chuáng shang měi tiān zǎo chen yì qǐ lái
喂它，把它放在床上。每天早晨一起来，

tā jiù qù rè niú nǎi gěi tā wéi shàng wéi xián ná zhe nǎi píng wèi
她就去热牛奶，给它围上围涎，拿着奶瓶喂

tā měi tiān xià wǔ xiào chē zài jiā mén kǒu yì tíng xià lái tā
它。每天下午，校车在家门口一停下来，她

mǎ shàng tiào xià chē dēng dēng dēng pǎo dào chú fáng yòu gěi tā nòng
马上跳下车，蹬蹬蹬跑到厨房，又给它弄

niú nǎi chī wǎn fàn de shí hou zài wèi yí cì shuì jiào qián yòu wèi
牛奶。吃晚饭的时候再喂一次，睡觉前又喂

yí cì fú ēn shàng xué de shí hou jiù yóu ā lā bù ěr tài
一次。弗恩上学的时候，就由阿拉布尔太

tai měi tiān zhōng wǔ wèi tā wēi ěr bó ài hē niú nǎi zài méi
太每天中午喂它。威尔伯爱喝牛奶，再没

yǒu shén me bǐ kàn dào fú ēn gěi tā rè niú nǎi gèng ràng tā kāi xīn
有什么比看到弗恩给它热牛奶更让它开心
de le tā huì zhàn qǐ lái tái tóu yòng shēn qíng de yǎn jing kàn
的了。它会站起来，抬头用深情的眼睛看
zhe tā
着她。

zài wēi ěr bó shēng xià lái de tóu jǐ tiān tā gěi ān zhì zài
在威尔伯生下来的头几天，它给安置在
chú fáng lú zi páng biān de xiāng zi li hòu lái ā lā bù ěr tài
厨房炉子旁边的箱子里。后来阿拉布尔太
tai shuō huà le tā jiù gěi bān dào bǎn péng li huàn le yí gè dà
太说话了，它就给搬到板棚里，换了一个大
yì diǎn de xiāng zi zhǎng dào liǎng gè xīng qī shí tā yòu gěi zhuǎn
一点的箱子。长到两个星期时，它又给转
yí dào hù wài zhè shì píng guǒ kāi huā de shí jié tiān qì yuè lái
移到户外。这是苹果开花的时节，天气越来
yuè nuǎn huo ā lā bù ěr xiān sheng tè dì zài yì kē píng guǒ shù
越暖和。阿拉布尔先生特地在一棵苹果树
xià quān le yì xiǎo kuài dì gěi wēi ěr bó zuò zhū lán wèi tā bèi le
下圈了一小块地给威尔伯做猪栏，为它备了
yí gè dà mù xiāng lǐ miàn duī mǎn mài cǎo mù xiāng kāi le yí gè
一个大木箱，里面堆满麦草，木箱开了一个
mén zhè yàng tā jiù néng suí yì jìn jìn chū chū le
门，这样它就能随意进进出出了。

yè lǐ tā bú huì lěng ma fú ēn wèn dào
“夜里它不会冷吗？”弗恩问道。

“不会，”她爸爸说，“你看着吧，看它会怎么办。”

弗恩拿来一瓶牛奶，在苹果树下的猪栏里坐下来。威尔伯跑到她面前，她端着奶瓶让它吸。喝完最后一滴牛奶，它呼噜呼噜着，瞌睡蒙眬地走进木箱。弗恩低下头朝门里看。威尔伯正用它的鼻子拱麦草。转眼间，它就在麦草里拱出了一条地道。它钻进地道，完全被麦草盖住，不见了。弗恩看得入了神。知道她这小宝宝盖上麦草睡觉不会冷，她放心了。

每天早晨吃过早饭，威尔伯就和弗恩一起走到大路上，陪她等校车。她朝它挥手

gào bié tā jiù zhàn zài nà lǐ yì zhí děng dào xiào chē guǎi wān kàn
告别，它就站在那里一直等到校车拐弯看

bú jiàn wéi zhǐ fú ēn zài xué xiào de shí hou wēi ěr bó gěi
不见为止。弗恩在学校的时候，威尔伯给

guān zài tā de xiǎo zhū lán li tā xià wǔ yì huí jiā jiù bǎ tā
关在它的小猪栏里。她下午一回家，就把它

fàng chū lái tā gēn zhe tā dào chù liū da tā jìn wū tā yě jìn
放出来，它跟着她到处溜达。她进屋它也进

wū yào shi tā shàng lóu wēi ěr bó jiù děng zài lóu tī jiǎo biān
屋。要是她上楼，威尔伯就等在楼梯脚边，

zhí dào tā zài xià lóu lái pèng dào tā yòng wán jù yīng ér chē tuī
直到她再下楼来。碰到她用玩具婴儿车推

tā de yáng wá wa qù sàn bù wēi ěr bó huì zài hòu miàn gēn zhe
她的洋娃娃去散步，威尔伯会在后面跟着。

yǒu shí hou zài sàn bù de guò chéng zhōng wēi ěr bó zǒu lèi le
有时候，在散步的过程中，威尔伯走累了，

fú ēn gān cuì bǎ tā bào qǐ lái fàng dào yīng ér chē shang tǎng zài
弗恩干脆把它抱起来，放到婴儿车上，躺在

yáng wá wa de shēn biān wēi ěr bó zuì xǐ huan zhè yàng yào shi
洋娃娃的身边。威尔伯最喜欢这样。要是

shí zài tài lèi tā huì bì shàng yǎn jing zài yáng wá wa de tǎn zi
实在太累，它会闭上眼睛，在洋娃娃的毯子

dǐ xia shuì jiào tā bì shàng yǎn jing shí de yàng zi zhēn hǎo kàn
底下睡觉。它闭上眼睛时的样子真好看，

yīn wèi tā de yǎn jié máo hěn cháng hěn cháng yáng wá wa yě huì bì
因为它的眼睫毛很长很长。洋娃娃也会闭

shàng yǎn jing zhè shí fú ēn jiù bǎ chē zi tuī de hěn màn hěn qīng
上眼睛，这时弗恩就把车子推得很慢很轻，
yǐ miǎn chǎo xǐng tā de liǎng gè xiǎo bǎo bao
以免吵醒她的两个小宝宝。

yí gè nuǎn huo de xià wǔ fú ēn hé ài fú lǐ chuān shàng
一个暖和的下午，弗恩和艾弗里穿上
yǒng yī dào xià miàn de xiǎo hé qù yóu yǒng wēi ěr bó jǐn gēn zhe
泳衣到下面的小河去游泳。威尔伯紧跟着
fú ēn tā shè shuǐ wēi ěr bó yě gēn zhe tā shè shuǐ kě shì
弗恩。她涉水，威尔伯也跟着她涉水。可是
tā jué de shuǐ hěn liáng liáng de tā shòu bù liǎo yīn cǐ
它觉得水很凉——凉得它受不了。因此，
dāng liǎng gè hái zi yóu yǒng wán shuǎ yòng shuǐ nǐ pō wǒ wǒ pō nǐ
当两个孩子游泳、玩耍、用水你泼我我泼你
shí wēi ěr bó jiù dāi zài hé biān de làn ní li zì dé qí lè
时，威尔伯就待在河边的烂泥里自得其乐，
làn ní nuǎn huo shī dā dā de nián nián hu hu shū fu jí le
烂泥暖和，湿答答的，黏黏糊糊，舒服极了。

tiān tiān zhè yàng bái tiān kuài kuài huo huo yè lǐ ān ān
天天这样，白天快快活活，夜里安安
jìng jìng
静静。

wēi ěr bó shì nóng mín shuō de nà zhǒng chūn zhū yì si bú
威尔伯是农民说的那种春猪，意思不
guò shì zhǐ tā chū shēng zài chūn tiān tā zhǎng dào wǔ gè xīng qī
过是指它出生在春天。它长到五个星期

大的时候，阿拉布尔先生说它已经够大，可以卖掉了。弗恩听了忍不住大哭起来，可她爸爸对这件事铁了心。威尔伯胃口大了，除了喝牛奶还开始吃剩菜。阿拉布尔先生不愿意再养它。威尔伯的十个兄弟姐妹都已经卖了。

“它得走，弗恩，”他说，“把猪宝宝养大的乐趣你已经享受过了，如今威尔伯不再是猪宝宝，它得卖出去了。”

“给朱克曼家打个电话吧，”阿拉布尔太太劝弗恩说，“你的霍默舅舅有时候会弄只猪养养。要是威尔伯卖到他家里去，你只要高兴就可以常常走大路去看它。”

wǒ gāi wèn tā yào duō shao qián ne fú ēn wèn dào
“我该问他要多少钱呢？”弗恩问道。

zhè ge ma tā bà ba shuō tā shì zhī luò jiǎo zhū
“这个嘛，”她爸爸说，“它是只落脚猪。
nǐ duì nǐ huò mò jiù jiu shuō nǐ yǒu zhī xiǎo zhū yào mài zhǐ mài
你对你霍默舅舅说，你有只小猪要卖，只卖
liù kuài qián kàn kan tā zěn me shuō
六块钱，看看他怎么说。”

zhè shì er hěn kuài jiù bàn tuǒ le fú ēn dǎ diàn huà gěi tā
这事儿很快就办妥了。弗恩打电话给她
de yī dí sī jiù mā yī dí sī jiù mā qù jiào huò mò jiù jiu
的伊迪丝舅妈，伊迪丝舅妈去叫霍默舅舅，
huò mò jiù jiu cóng gǔ cāng huí lái jiē fú ēn de diàn huà tā tīng
霍默舅舅从谷仓回来接弗恩的电话。他听
shuō zhǐ yào liù kuài qián biàn shuō zhè zhū tā mǎi xià le dì èr
说只要六块钱，便说这猪他买下了。第二
tiān wēi ěr bó jiù cóng tā píng guǒ shù xià de jiā gěi bān dào zhū kè
天，威尔伯就从它苹果树下的家给搬到朱克
màn jiā gǔ cāng dǐ de féi liào duī li
曼家谷仓底的肥料堆里。

逃走

谷仓很大。它很旧了。里面有干草的气味，有肥料的气味。里面有干活累了的马的汗味，有吃苦耐劳的母牛的极好闻的气息。谷仓让人闻上去感到天下太平，什么坏事都不会再发生。它充满了谷物、马具套、车轴油、橡胶靴和新绳索的气味。碰上猫叼着给它的鱼头到这儿来享受，谷仓里还会多股鱼腥气。不过最强烈的是干草气味，因

为谷仓上面的阁楼里一直堆着干草。总是有干草给扔下来喂牛、喂马、喂羊。

冬天谷仓很暖和，牲口大部分时间在室内；夏天所有的大门敞开透风，它又很凉爽。谷仓里面有马栏，有牛栏，谷仓底下有羊圈，有威尔伯待的猪圈。谷仓里有凡是谷仓都有的各种东西：梯子、磨子、叉子、扳手、镰刀、割草机、雪铲、斧头柄、牛奶桶、水桶、空麻袋、生锈的老鼠夹。它是燕子喜欢筑巢的那种谷仓，它是孩子们喜欢在里面玩耍的那种谷仓。这谷仓连同里面所有的东西，都是弗恩的舅舅霍默·朱克曼先生的。

威尔伯的新家在谷仓底层，就在牛栏下面。朱克曼先生知道，肥料堆是养小猪的好地方。猪需要温暖，向阳的谷仓底层又温暖又舒适。

弗恩几乎天天来看威尔伯。她找来一个丢弃不用的挤奶凳，放在挨着威尔伯那猪圈的羊圈里。漫长的下午，她静静地坐在那里，想着心事，听着、看着威尔伯。那些羊很快就跟她熟了，信任她。和羊待在一起的那些鹅也一样。所有的牲口都信任她，她是那么安静友好。朱克曼先生不让她把威尔伯带到外面去，也不让她进猪圈。不过他对弗恩说，只要她高兴，她可以坐在凳子上看威尔伯，爱看多久就看多久。只要能和小猪待在一起，她就够高兴了。只要知道弗恩就坐在它的猪圈外面，威尔伯也就够快活了。只是它一点乐趣也没有——不能散步，不能坐婴儿车，不能游泳。

六月里，威尔伯已经快两个月大了。一天下午，它走到谷仓外的小院子里。这时候天天来看它的弗恩还没到。威尔伯站在阳光里，感到寂寞无聊。

“在这里什么事也不能做。”它想。它慢慢地走到它的食槽边，用鼻子闻闻，看有没有中午时吃漏的东西。它找到一小块土豆皮，把它吃了。它觉得背痒，于是靠着围

栏，在栏板上磨蹭它的背。磨蹭够了，它又回到屋里，爬到肥料堆上，坐下来。它不想睡，不想刨地，它站厌了，也躺厌了。

“我还没活到两个月，可已经活腻了。”它说。它又走到外面的院子里。

“来到外面，”它说，“除了进去再没有地方可去。回到里面，除了出来也再没有地方可去。”

“你这话就错了，我的朋友，我的朋友，我的朋友。”一个声音说。

威尔伯朝栏板外面望去，看到一只母鹅站在那里。

“你用不着待在那脏兮兮小兮兮脏兮

xī xiǎo xī xī zāng xī xī xiǎo xī xī de zhū lán li nà mǔ
兮小兮兮脏兮兮小兮兮的猪栏里，”那母

é fēi kuài de shuō yǒu yí kuài lán bǎn sōng le dǐng ding tā
鹅飞快地说，“有一块栏板松了。顶顶它，

dǐng ding dǐng ding dǐng ding tā zhào wǒ shuō de zuò chū
顶顶——顶顶——顶顶它，照我说的做，出

lái ba
来吧！”

shén me wēi ěr bó shuō qǐng nǐ shuō de màn xiē
“什么？”威尔伯说，“请你说得慢些！”

wǒ huō chū qù huō chū qù huō chū qù zài shuō
“我豁出去——豁出去——豁出去再说

yí biàn nà mǔ é shuō wǒ quàn nǐ chū lái wài miàn bàng
一遍，”那母鹅说，“我劝你出来。外面棒

jí le
极了。”

nǐ gāng cái shuō yǒu yí kuài bǎn sōng le ma
“你刚才说有一块板松了吗？”

wǒ shuō le wǒ shuō le wǒ shuō le nà é shuō
“我说了，我说了，我说了。”那鹅说。

wēi ěr bó zǒu dào lán bǎn páng biān kàn dào mǔ é shuō de méi
威尔伯走到栏板旁边，看到母鹅说得没

cuò shì yǒu yí kuài mù bǎn sōng le tā dī xià tóu bì
错——是有一块木板松了。它低下头，闭

shàng yǎn jing qù dǐng mù bǎn gěi dǐng kāi le zhuǎn yǎn gōng fu
上眼睛去顶。木板给顶开了。转眼工夫，

tā yǐ jīng zuān chū le wéi lán zhàn zài zhū lán wài miàn gāo gāo de cǎo
它已经钻出了围栏，站在猪栏外面高高的草
cóng li nà zhī mǔ é gē gē de xiào qǐ lái
丛里。那只母鹅格格地笑起来。

zì yóu zì zài de gǎn jué zěn me yàng tā wèn dào
“自由自在的感觉怎么样？”它问道。

wǒ xǐ huan wēi ěr bó shuō wǒ shì shuō wǒ xiǎng
“我喜欢，”威尔伯说，“我是说，我想
wǒ xǐ huan zhēn de dào le wéi lán wài miàn méi yǒu dōng xi bǎ
我喜欢。”真的，到了围栏外面，没有东西把
tā hé hào dà de shì jiè gé kāi tā jué de guài guài de shí fēn
它和浩大的世界隔开，它觉得怪怪的，十分
tè bié
特别。

yī nǐ kàn wǒ zuì hǎo shàng nǎ er qù ne
“依你看，我最好上哪儿去呢？”

nǐ ài shàng nǎ er jiù shàng nǎ er ài shàng nǎ er jiù
“你爱上哪儿就上哪儿，爱上哪儿就
shàng nǎ er mǔ é shuō chuān guò guǒ yuán gǒng cǎo pí
上哪儿，”母鹅说，“穿过果园，拱草皮！
chuān guò huā yuán gǒng chū luó bo gǒng chū suǒ yǒu de dōng xi
穿过花园，拱出萝卜！拱出所有的东西！
chī cǎo zhǎo yù mǐ zhǎo yàn mài dào chù pǎo bèng bèng tiào
吃草！找玉米！找燕麦！到处跑！蹦蹦跳
tiào chuān guò guǒ yuán dào lín zi li qù yóu dàng nǐ nián jì
跳！穿过果园，到林子里去游荡！你年纪

xiǎo huì jué de shì jiè zhēn qí miào
小，会觉得世界真奇妙。”

wǒ kàn de chū tā qí miào wēi ěr bó huí dá shuō tā
“我看得出它奇妙。”威尔伯回答说。它
bèng qǐ lái tiào de bàn tiān gāo dǎ le gè zhuǎn pǎo le jǐ bù
蹦起来，跳得半天高，打了个转，跑了几步，
tíng xià lái cháo sì zhōu kàn wén wen xià wǔ de gè zhǒng qì wèi
停下来朝四周看，闻闻下午的各种气味，
rán hòu dòng shēn chuān guò guǒ yuán tā zài yì kē píng guǒ shù de
然后动身穿过果园。它在一棵苹果树的
shù yīn xià tíng zhù kāi shǐ yòng yǒu lì de bí zi gǒng dì yòu gǒng
树荫下停住，开始用有力的鼻子拱地，又拱
yòu jué tā jué de fēi cháng kuài huo hái méi yǒu rén kàn dào tā
又掘。它觉得非常快活。还没有人看到它
shí tā yǐ jīng gǒng le yí dà piàn dì shì zhū kè màn tài tai dì
时，它已经拱了一大片地。是朱克曼太太第
yī gè kàn dào tā tā cóng chú fáng chuāng zi li kàn dào le tā
一个看到它。她从厨房窗子里看到了它，
mǎ shàng dà shēng hǎn rén
马上大声喊人。

huò mò tā jiào dào xiǎo zhū chū qù le
“霍——默！”她叫道，“小猪出去了！
lè wéi xiǎo zhū chū qù le huò mò lè wéi xiǎo zhū chū
勒维！小猪出去了！霍默！勒维！小猪出
qù le tā zài nà kē píng guǒ shù dǐ xia
去了。它在那棵苹果树底下！”

xiàn zài má fan kāi shǐ le wēi ěr bó xiǎng xiàn zài wǒ
“现在麻烦开始了，”威尔伯想，“现在我
chuǎng huò le
闯祸了。”

nà zhī mǔ é tīng dào le xuān nào shēng yě rāng rang qǐ lái
那只母鹅听到了喧闹声，也嚷嚷起来。
pǎo pǎo pǎo pǎo xià shān dào lín zi lín
“跑——跑——跑，跑下山，到林子——林
zi lín zi li qù tā duì wēi ěr bó dà jiào dào le
子——林子里去！”它对威尔伯大叫，“到了
lín zi li tā men yǒng yuǎn yǒng yuǎn yǒng yuǎn zhuō bú
林子里，他们永远——永远——永远捉不
dào nǐ
到你！”

nà zhī xiǎo liè gǒu tīng dào le xuān nào shēng cóng gǔ cāng li bēn
那只小猎狗听到了喧闹声，从谷仓里奔
chū lái cān jiā zhuī bǔ zhū kè màn xiān sheng tīng dào le jiào shēng
出来参加追捕。朱克曼先生听到了叫声，
cóng tā zhèng zài xiū lǐ gōng jù de jī qì péng chū lái gù gōng
从他正在修理工具的机器棚出来。雇工
lè wéi tīng dào le jiào shēng cóng tā zhèng zài bá yě cǎo de lú sǔn
勒维听到了叫声，从他正在拔野草的芦笋
dì pǎo lái dà jiā cháo wēi ěr bó zhuī qù wēi ěr bó bù zhī dào
地跑来。大家朝威尔伯追去，威尔伯不知道
zěn me bàn cái hǎo lín zi kàn lái lí de hěn yuǎn zài shuō tā yě
怎么办才好。林子看来离得很远，再说它也

从未进过林子，吃不准是不是喜欢它。

“绕到它后面，勒维，”朱克曼先生说，“把它朝谷仓赶！悠着点——别推它拖它！我去拿一桶泔脚来。”

威尔伯逃走的消息，很快在那群牲口当中传开了。不论什么时候，只要有牲口逃出朱克曼的农场，其他牲口就都大感兴趣。那只母鹅对离它最近的那头牛大叫，说威尔伯已经自由了，很快所有的牛都知道了。接下来有一头牛告诉一只羊，很快所有的羊也都知道了。小羊羔又从它们的妈妈那里知道。谷仓马栏里的马听到母鹅嚷嚷大叫时竖起了耳朵，也马上知道出了什么

shì wēi ěr bó zǒu diào le tā men shuō suǒ yǒu de shēng
事。“威尔伯走掉了。”它们说。所有的牲

kou quán dōu huàng tóu huàng nǎo hěn gāo xìng zhī dào tā men de yí gè
口全都晃头晃脑，很高兴知道它们的一个

péng you zì yóu le bú zài bèi guān qǐ lái huò zhě bèi kǔn de jǐn
朋友自由了，不再被关起来，或者被捆得紧

jǐn de
紧的。

wēi ěr bó bù zhī dào zěn me bàn cái hǎo yě bù zhī dào gāi
威尔伯不知道怎么办才好，也不知道该

cháo nǎ lǐ pǎo kàn zhe gè gè dōu xiàng zài zhuī tā
朝哪里跑。看着个个都像在追它。

rú guǒ zhè jiù shì suǒ wèi de zì yóu tā xīn lǐ shuō
“如果这就是所谓的自由，”它心里说，

wǒ xiǎng wǒ qíng yuàn bèi guān zài zì jǐ de zhū lán li
“我想，我情愿被关在自己的猪栏里。”

nà tiáo xiǎo liè gǒu cóng yì biān qiāo qiāo de kào jìn wēi ěr bó
那条小猎狗从一边悄悄地靠近威尔伯。

gù gōng lè wéi cóng lìng yì biān qiāo qiāo de kào jìn wēi ěr bó zhū
雇工勒维从另一边悄悄地靠近威尔伯。朱

kè màn tài tai zhàn zài nà lǐ zuò hǎo zhǔn bèi wàn yī wēi ěr bó
克曼太太站在那里做好准备，万一威尔伯

cháo huā yuán pǎo jiù lán zhù tā zhū kè màn xiān sheng tí zhe yì
朝花园跑就拦住它。朱克曼先生提着一

tǒng dōng xi cháo wēi ěr bó zǒu guò lái
桶东西朝威尔伯走过来。

“太可怕了，”威尔伯心里说，“弗恩为什么还不来啊？”它开始哭了。

那只母鹅充当指挥，开始发号施令，“不要光站在那里，威尔伯！躲开啊，躲开啊！”那鹅叫着，“绕开，向我这边跑来，溜进溜出，溜进溜出，溜进溜出！向林子跑！转过身跑！”

那条小猎狗朝威尔伯的后腿扑上去，威尔伯一跳，跑掉了。勒维伸手来抓。朱克曼太太对勒维尖叫。那只母鹅为威尔伯当啦啦队助威。威尔伯在勒维的两腿间溜了过去。勒维没抓到威尔伯，反而抓住了那条小猎狗。“干得好，干得好，干得好！”母鹅

huān hū zài lái yí cì zài lái yí cì zài lái yí cì
欢呼，“再来一次，再来一次，再来一次！”

cháo shān xià pǎo nà xiē niú quàn wēi ěr bó
“朝山下跑！”那些牛劝威尔伯。

cháo wǒ zhè biān pǎo gōng é dà jiào
“朝我这边跑！”公鹅大叫。

cháo shān shàng pǎo nà xiē yáng rāng rang
“朝山上跑！”那些羊嚷嚷。

zhuàn guò shēn pǎo mǔ é gā gā hǎn
“转过身跑！”母鹅嘎嘎喊。

tiào tiào nà zhī gōng jī jiào dào
“跳，跳！”那只公鸡叫道。

xiǎo xīn lè wéi nà xiē niú hǎn dào
“小心勒维！”那些牛喊道。

xiǎo xīn zhū kè màn gōng é hǎn dào
“小心朱克曼！”公鹅喊道。

dī fang nà gǒu nà xiē yáng rǎng
“提防那狗！”那些羊嚷。

tīng wǒ shuō tīng wǒ shuō tīng wǒ shuō mǔ é jiān jiào
“听我说，听我说，听我说！”母鹅尖叫。

nǐ jiào wǒ rǎng kě lián de wēi ěr bó bèi zhè xiē xuān nào shēng nòng de hūn tóu hūn nǎo xià huài le tā bú yuàn yì chéng wéi zhè chǎng dà luàn de zhōng xīn rén wù tā hěn xiǎng tīng cóng tā nà xiē
你叫我嚷，可怜的威尔伯被这些喧闹声弄得昏头昏脑，吓坏了。它不愿意成为这场大乱的中心人物。它很想听从它那些朋友给它发出的指示，可它不能同时上山又下山，它不能在蹦蹦跳跳时又转来转去，它哭得那么厉害，简直看不清正在它眼前发生的事。再说威尔伯只是一只小乳猪——实际上跟个婴儿差不多。它只巴望弗恩在这里，把它抱在怀里安慰它。当它抬头看到朱克曼先生站在离它很近的地方，提着一桶热的泔脚，它觉得放了心。它抬起鼻子闻，气味真香——热牛奶、土豆皮、麦麸、凯洛牌爆米花，还有朱克曼家早饭吃剩的膨松饼。

“来吧，小猪！”朱克曼先生拍着桶子说，“小猪，来吧！”威尔伯朝桶子上前

yí bù
一步。

bù bù bù mǔ é shuō zhè shì tǒng zi lǎo bǎ xì
“不不不！”母鹅说，“这是桶子老把戏
le wēi ěr bó bié shàng dàng bié shàng dàng bié shàng dàng
了。威尔伯。别上当，别上当，别上当！
tā zài yǐn nǐ huí dào láo láo láo lóng li qù tā zài
他在引你回到牢——牢——牢笼里去。他在
yǐn yòu nǐ de dǔ zi
引诱你的肚子！”

wēi ěr bó bù guǎn shí wù de qì wèi tài diào rén wèi kǒu
威尔伯不管，食物的气味太吊人胃口
le tā cháo tǒng zi yòu zǒu le yí bù
了，它朝桶子又走了一步。

xiǎo zhū xiǎo zhū zhū kè màn xiān sheng hǎo shēng hǎo qì
“小猪，小猪！”朱克曼先生好声好气
de shuō kāi shǐ màn màn de cháo gǔ cāng yuàn zi zǒu yí fù méi shì
地说，开始慢慢地朝谷仓院子走，一副没事
rén shì de yàng zi cháo sì xià li kàn hǎo xiàng gēn běn bù zhī dào
人似的样子朝四下里看，好像根本不知道
hòu miàn gēn zhe yì zhī xiǎo bái zhū
后面跟着一只小白猪。

nǐ yào hòu huǐ hòu huǐ hòu huǐ de mǔ é
“你要后悔——后悔——后悔的！”母鹅
jiào dào
叫道。

wēi ěr bó bù guǎn tā jì xù cháo nà tǒng gān jiǎo zǒu qù
威尔伯不管。它继续朝那桶泔脚走去。

nǐ huì shī qù nǐ de zì yóu mǔ é gā gā jiào yì
“你会失去你的自由，”母鹅嘎嘎叫，“一
xiǎo shí de zì yóu dǐ de shàng yì tǒng gān jiǎo
小时的自由抵得上一桶泔脚！”

wēi ěr bó bù guǎn děng zhū kè màn xiān sheng lái dào zhū lán
威尔伯不管。等朱克曼先生来到猪栏
nà lǐ tā pá guò wéi lán bǎ gān jiǎo dǎo jìn shí cáo jiē zhe
那里，他爬过围栏，把泔脚倒进食槽。接着
tā lā diào wéi lán shang nà kuài sōng le de mù bǎn lù chū yí gè
他拉掉围栏上那块松了的木板，露出一个
dà dòng ràng wēi ěr bó zuān jìn qù
大洞让威尔伯钻进去。

zài xiǎng xiang zài xiǎng xiang zài xiǎng xiang mǔ é
“再想想，再想想，再想想！”母鹅
jiào dào
叫道。

wēi ěr bó bù tīng tā de tā mài bù chuān guò wéi lán zǒu
威尔伯不听它的。它迈步穿过围栏，走
jìn tā de zhū lán tā zǒu dào shí cáo páng biān xī li huā lā de
进它的猪栏。它走到食槽旁边，稀里哗啦地
chī le bàn tiān gān jiǎo tān chán de xī niú nǎi jiáo péng sōng bǐng
吃了半天泔脚，贪馋地吸牛奶嚼膨松饼。
chóng xīn huí dào jiā zhēn hǎo
重新回到家真好。

趁威尔伯在大吃大喝，勒维拿来槌子和钉子，把木板重新钉好。接着他和朱克曼先生用根棍子挠威尔伯的背。

“这只小猪真不赖。”勒维说。

“没错，它会长成头好猪。”朱克曼先生说。

威尔伯听到了这两句夸它的话。它感觉到了肚子里的热牛奶。它感觉到棍子舒服地在挠它痒痒的背。它感觉到安宁、快乐和睡意。这真是一个累人的下午。才不过四点钟左右，可威尔伯已经要睡了。

“我独自一个去闯世界实在还太小。”它躺下来时在心里这样说。

gū dú
孤 独

dì èr tiān xià yǔ tiān sè yīn chén chén de yǔ shuǐ luò zài
第二天下雨，天色阴沉沉的。雨水落在
gǔ cāng dǐng shang bù tíng de cóng wū yán shang dī luò xià lái yǔ
谷仓顶上，不停地从屋檐上滴落下来；雨
shuǐ luò dào gǔ cāng yuàn zi li wān wān qū qū de yí dào yí dào
水落到谷仓院子里，弯弯曲曲地一道一道
liú jìn zhǎng zhe jì cǎo hé lí cǎo de xiǎo lù yǔ shuǐ pī pī pā
流进长着蓟草和藜草的小路；雨水噼噼啪
pā de dǎ zài zhū kè màn tài tai de chú fáng chuāng shang gū dōng gū
啪地打在朱克曼太太的厨房窗上，咕咚咕
dōng de yǒng chū shuǐ guǎn yǔ shuǐ luò zài zhèng zài cǎo dì shang chī
咚地涌出水管；雨水落在正在草地上吃
cǎo de yáng de bèi shang yáng zài yǔ zhōng zhàn lèi le jiù yán zhe
草的羊的背上。羊在雨中站累了，就沿着
xiǎo lù màn màn de zǒu huí yáng juàn
小路慢慢地走回羊圈。

yǔ shuǐ dǎ luàn le wēi ěr bó de jì huà wēi ěr bó yuán
雨水打乱了威尔伯的计划。威尔伯原
dǎ suàn jīn tiān chū qù zài tā nà zhū lán li wā gè xīn dòng tā
打算今天出去，在它那猪栏里挖个新洞。它
hái yǒu bié de jì huà tā jīn tiān de dǎ suàn dà zhì shang shì zhè
还有别的计划。它今天的打算大致上是这
yàng de
样的：

liù diǎn bàn chī zǎo fàn tuō zhī niú nǎi miàn bāo pí mài
六点半吃早饭。脱脂牛奶、面包皮、麦
fū zhá miàn quān suì kuài shàng miàn dī zhe qì táng jiāng de mài bǐng
麸、炸面圈碎块、上面滴着槭糖浆的麦饼、
tǔ dòu pí chī shèng de pú tao gān dàn nǎi bù dīng cuì mài piàn tiáo
土豆皮、吃剩的葡萄干蛋奶布丁、脆麦片条
xiè xiè
屑屑。

zhè dùn zǎo fàn yù jì qī diǎn chī wán
这顿早饭预计七点吃完。

cóng qī diǎn dào bā diǎn wēi ěr bó dǎ suàn gēn tǎn pǔ ěr dùn
从七点到八点，威尔伯打算跟坦普尔顿
liáo liao tiān tǎn pǔ ěr dùn shì zhù zài shí cáo dǐ xia de nà zhī lǎo
聊聊天。坦普尔顿是住在食槽底下的那只老
shǔ gēn tǎn pǔ ěr dùn liáo tiān suàn bù dé shì jiè shang zuì yǒu qù
鼠。跟坦普尔顿聊天算不得世界上最有趣
de shì bú guò liáo shèng yú wú
的事，不过聊胜于无。

cóng bā diǎn dào jiǔ diǎn wēi ěr bó dǎ suàn zài wài miàn tài
从八点到九点，威尔伯打算在外面太
yáng dǐ xia dǎ gè dǔn
阳底下打个盹。

cóng jiǔ diǎn dào shí yī diǎn tā dǎ suàn wā gè dòng huò zhě
从九点到十一点，它打算挖个洞，或者
wā tiáo gōu zhè yàng zuò yě xǔ néng zhǎo dào diǎn mái zài tǔ li de
挖条沟，这样做也许能找到点埋在土里的
hǎo chī dōng xi
好吃东西。

cóng shí yī diǎn dào shí èr diǎn tā dǎ suàn yí dòng bú dòng
从十一点到十二点，它打算一动不动
de zhàn zhe kàn mù bǎn shang de cāng ying kàn hóng huā cǎo cóng zhōng
地站着看木板上的苍蝇，看红花草丛中
de mì fēng kàn tiān shàng de yàn zi
的蜜蜂，看天上的燕子。

shí èr diǎn chī zhōng fàn mài fū rè shuǐ píng guǒ pí
十二点吃中饭。麦麸、热水、苹果皮、
ròu zhī hú luó bo pí ròu xiè bù xīn xiān de yù mǐ piàn zhōu
肉汁、胡萝卜皮、肉屑、不新鲜的玉米片粥、
gān lào bāo zhuāng zhǐ zhōng fàn chī wán dà yuē yī diǎn
干酪包装纸。中饭吃完大约一点。

cóng yī diǎn dào liǎng diǎn wēi ěr bó dǎ suàn shuì jiào
从一点到两点，威尔伯打算睡觉。

cóng liǎng diǎn dào sān diǎn tā dǎ suàn dǐ zhe lán bǎn náo shēn
从两点到三点，它打算抵着栏板挠身

shang de yǎngyang
上的痒痒。

cóng sān diǎn dào sì diǎn tā dǎ suàn zhàn zhe yí dòng bú dòng
从三点到四点，它打算站着一动不动，
xiǎngxiang huó zhe shì shén me zī wèi tóng shí děng fú ēn lái
想想活着是什么滋味，同时等弗恩来。

sì diǎn zhōng wǎn fàn dà gài sòng lái le tuō zhī niú nǎi
四点钟，晚饭大概送来了。脱脂牛奶、
gān sì liào lè wéi fàn hé li chī shèng xià de sān míng zhì yáng lǐ
干饲料、勒维饭盒里吃剩下的三明治、洋李
pí zhè yàng yì diǎn nà yàng yì diǎn jiān tǔ dòu jǐ dī guǒ jiàng
皮、这样一点那样一点、煎土豆、几滴果酱、
yòu shì zhè yàng yì diǎn nà yàng yì diǎn yí kuài kǎo píng guǒ yì diǎn
又是这样一点那样一点、一块烤苹果、一点
shuǐ guǒ dàn gāo
水果蛋糕。

wēi ěr bó xiǎng zhe zhè xiē jì huá xiǎng zhe xiǎng zhe shuì zháo
威尔伯想着这些计划，想着想着睡着
le tā liù diǎn xǐng lai kàn dào zài xià yǔ tā jiǎn zhí shòu
了。它六点醒来，看到在下雨，它简直受
bù liǎo
不了。

wǒ shén me shì qing dōu měi měi de jì huà hǎo le piān piān
“我什么事情都美美地计划好了，偏偏
xià yǔ tā shuō
下雨。”它说。

它在圈里扫兴地站了好一会儿。接着它走到门口，望出去。雨点打在它脸上。它的猪栏又冷又湿答答。它的食槽里面积了一英寸的水。坦普尔顿连个影子也见不着。

“你在外面吗，坦普尔顿？”威尔伯叫道。没有回答。威尔伯一下子感到孤独了，一个朋友也没有。

“天天一个样，”它抱怨说，“我太小，在谷仓这儿我没有真正的朋友，雨要下一整个上午一整个下午，天气这么坏，弗恩不会来了。噢，天啊！”威尔伯又哭了，两天当中这是第二回了。

六点半，威尔伯听到桶子砰砰响。勒

wéi zhèng zhàn zài wài miàn dǐng zhe yǔ jiǎo bàn tā de zǎo fàn
维正站在外面顶着雨搅拌它的早饭。

lái ba xiǎo zhū lè wéi jiào tā
“来吧，小猪！”勒维叫它。

wēi ěr bó yí dòng bú dòng lè wéi dǎo xià gān jiǎo guā gān jìng tǒng zi zǒu le tā zhù yì dào zhè xiǎo zhū yǒu diǎn bú duì tóu
威尔伯一动不动。勒维倒下泔脚，刮干净桶子，走了。他注意到这小猪有点不对头。

wēi ěr bó bú yào shí wù tā yào ài tā yào yí gè péng you yí gè kěn hé tā yì qǐ wán de péng you tā duì jìng jìng de zuò zài yáng lán jiǎo luò de mǔ é jiǎng huà
威尔伯不要食物，它要爱。它要一个朋友——一个肯和它一起玩的朋友。它对静静地坐在羊栏角落的母鹅讲话。

nǐ kěn guò lái hé wǒ yì qǐ wán ma tā wèn dào
“你肯过来和我一起玩吗？”它问道。

duì bu qǐ duì bu qǐ duì bu qǐ mǔ é shuō wǒ zài fū fū fū wǒ de dàn yí gòng bā gè dàn wǒ děi ràng tā men rè hū hū rè hū hū rè hū hū de wǒ děi dūn zài zhè lǐ bú dòng wǒ shì gè fù zé
“对不起——对不起——对不起，”母鹅说，“我在孵——孵——孵我的蛋。一共八个蛋。我得让它们热乎乎——热乎乎——热乎乎的。我得蹲在这里不动，我是个负责

任——负责任——负责任的鹅妈妈。有蛋要孵我连玩也不玩。我在等着小鹅出世。”

“当然，我不会以为你在等着啄木鸟出世。”威尔伯挖苦说。

威尔伯接下来试试看问一只小羊羔。

“你能跟我玩吗？”它问道。

“当然不能，”那小羊羔说，“第一，我没法到你的圈里去，我还没大到能跳过围栏；第二，我对猪没兴趣。对我来说，猪的价值比零还要少。”

“比零还要少，你这话是什么意思？”威尔伯应道，“我不认为有什么东西会比零还要少。零就是零，什么也没有，这

yǐ jīng dào le jí xiàn shǎo dào le jí xiàn zěn me néng yǒu dōng
已经到了极限，少到了极限，怎么能有东

xi bǐ líng hái yào shǎo ne rú guǒ yǒu shén me dōng xi bǐ líng
西比零还要少呢？如果有什么东西比零

hái yào shǎo nà me zhè líng jiù bù néng shì líng yí dìng yào yǒu
还要少，那么这零就不能是零，一定要有

xiē dōng xi nǎ pà zhǐ shì yì dīng diǎn dōng xi rú
些东西——哪怕只是一丁点东西。如

guǒ líng jiù shì líng nà jiù méi yǒu shén me dōng xi bǐ tā hái
果零就是零，那就没有什么东西比它还

yào shǎo
要少。”

ō bié shuō le xiǎo yáng gāo shuō nǐ zì gě er
“噢，别说了！”小羊羔说，“你自个儿

qù wán ba fǎn zhèng wǒ bù gēn zhū wán
去玩吧！反正我不跟猪玩。”

wēi ěr bó hěn nán guò zhǐ hǎo tǎng xià lái tīng yǔ shēng hěn
威尔伯很难过，只好躺下来，听雨声。很

kuài tā kàn dào nà zhī lǎo shǔ cóng yí kuài xié bǎn shang pá xià lái
快它看到那只老鼠从一块斜板上爬下来，

tā bǎ tā dāng lóu tī shǐ
它把它当楼梯使。

nǐ kěn gēn wǒ yì qǐ wán ma tǎn pǔ ěr dùn wēi ěr
“你肯跟我一起玩吗，坦普尔顿？”威尔

bó wèn tā
伯问它。

“玩？”坦普尔顿捻捻它的小胡子，“玩？我简直不知道玩这个字是什么意思。”

“玩嘛，”威尔伯说，“它的意思是游戏、耍、又跑又跳、取乐儿。”

“这种事我从来能不干就不干，”老鼠尖刻地回答说，“我情愿把时间花在吃啊，啃啊，窥探啊，躲藏啊这些上头。我是个大食鬼而不是个寻欢作乐者。这会儿我正要上你的食槽去吃你的早饭，既然你自己不想吃。”坦普尔顿这老鼠说着偷偷地顺着墙爬，钻进了它在门和猪栏的食槽之间挖的地道。坦普尔顿是只诡计多端的机灵老鼠，它办法多多。这条地道就是它的技巧和狡猾的一个例子，让它不用上地面就能从谷仓到达它在食槽底下的藏身处。它的地道和通路遍布朱克曼先生的整个农场，能够从一个地方到另一个地方而不被人看见。白天它通常睡觉，天黑了才外出活动。

威尔伯看着它钻进地道不见了，转眼就见它的尖鼻子从食槽底下伸出来。坦普尔顿小心翼翼地爬过食槽的边进了食槽。在这可怕的下雨天，眼睁睁地看着自己的早饭被别人吃掉，这简直叫威尔伯无法容忍。就算它知道，瓢泼大雨中，坦普尔顿在那儿浑身都湿透了，也不能让它心里好过些。没有朋友，情绪低落，饿着肚子，它不由得扑倒在肥料上抽抽搭搭哭起来。

那天下午后半晌，勒维去对朱克曼先生说："我觉得你那只小猪有点不对头，吃的东西它连碰也不碰。"

"给它两匙羹硫和一点蜂蜜吧。"朱克曼先生说。

当勒维抓住威尔伯，把药硬灌进它的喉咙时，威尔伯简直不能相信会碰到这种事。这真正是它一生中最糟糕的一天。这种可怕的孤独，它真不知道是不是还能

zài rěn nài xià qù
再忍耐下去。

hēi àn lǒng zhào le yí qiè hěn kuài jiù zhǐ yǒu yǐng zi hé
黑暗笼罩了一切。很快就只有影子和
yáng jiáo cǎo de shēng yīn le ǒu ěr hái yǒu tóu dǐng shàng niú liàn zi
羊嚼草的声音了，偶尔还有头顶上牛链子
de gē gē shēng yīn cǐ dāng hēi àn zhōng chuán lái yí gè wēi ěr
的格格声。因此，当黑暗中传来一个威尔
bó cóng méi tīng dào guo de xì xiǎo shēng yīn shí tā yǒu duō me chī
伯从没听到过的细小声音时，它有多么吃
jīng nǐ men yě jiù kě xiǎng ér zhī le zhè shēng yīn tīng shàng qù
惊，你们也就可想而知了。这声音听上去
hěn xì kě shì hěn hǎo tīng nǐ yào yí gè péng you ma wēi ěr
很细，可是很好听。“你要一个朋友吗，威尔
bó nà shēng yīn shuō wǒ kě yǐ zuò nǐ de péng you wǒ
伯？”那声音说，“我可以做你的朋友。我
guān chá nǐ yì zhěng tiān le wǒ xǐ huan nǐ
观察你一整天了，我喜欢你。”

kě wǒ kàn bú jiàn nǐ wēi ěr bó tiào qǐ lái shuō nǐ
“可我看不见你，”威尔伯跳起来说，“你
zài nǎ lǐ nǐ shì shéi
在哪里？你是谁？”

wǒ jiù zài shàng miàn zhè er nà shēng yīn shuō shuì
“我就在上面这儿，”那声音说，“睡
jiào ba míng tiān zǎo chen nǐ jiù kàn jiàn wǒ le
觉吧。明天早晨你就看见我了。”

夏洛

这一夜好像特别长。威尔伯肚子空空的，可是心满满的，都是心事。一个人肚子空空，心事重重，总是睡不好觉的。

这天夜里威尔伯醒来十几次，看着黑暗，听着响声，想要琢磨出这是什么时间了。一间谷仓是永远不可能十分安静的。连半夜里也总是有动静。

第一次醒来时，它听到坦普尔顿在粮仓

li kěn dòng tǎn pǔ ěr dùn de yá chǐ hěn xiǎng de kěn zhe mù tou
里啃洞。坦普尔顿的牙齿很响地啃着木头，
fā chū hěn dà de jī gā shēng
发出很大的叽嘎声。

nà fā fēng de lǎo shǔ wēi ěr bó zài xīn lǐ shuō
“那发疯的老鼠！”威尔伯在心里说，
wèi shén me tā yí dìng yào zhěng yè xǐng zhe jī gā jī gā mó tā
“为什么它一定要整夜醒着，叽嘎叽嘎磨它
de yá chǐ pò huài rén de cái chǎn ne wèi shén me tā bù néng
的牙齿，破坏人的财产呢？为什么它不能
xiàng suǒ yǒu zhèng zhèng jīng jīng de dòng wù nà yàng shuì jiào ne
像所有正正经经的动物那样睡觉呢？”

wēi ěr bó dì èr cì xǐng lái tīng jiàn mǔ é zài wō li zhuàn
威尔伯第二次醒来，听见母鹅在窝里转
lái zhuàn qù zì gě er zài gē gē xiào
来转去，自个儿在格格笑。

zhè shì shén me shí hou le wēi ěr bó qiāo qiāo de
“这是什么时候了？”威尔伯悄悄地
wèn tā
问它。

dà gài dà gài dà gài shì shí yī diǎn bàn
“大概——大概——大概是十一点半
ba mǔ é shuō nǐ wèi shén me bú shuì a wēi ěr bó
吧，”母鹅说，“你为什么不睡啊，威尔伯？”

wǒ xīn lǐ xiǎng de dōng xi tài duō le wēi ěr bó shuō
“我心里想的东西太多了。”威尔伯说。

“唉，”母鹅说，“我倒不为这个烦。我心里什么东西也没有，可我屁股底下东西太多了。你试过蹲在八个蛋上面睡觉吗？”

“没有，”威尔伯回答，“我想那是很不舒服的。一个鹅蛋孵出小鹅来要多少时间呢？”

“大家说，大概——大概——大概三十天，”母鹅答道，“不过我也玩点小把戏。下午天气暖和，我拉点麦草把蛋盖上，自己到外面去溜达一会儿。”

威尔伯打了几个哈欠，回头继续睡它的觉。在梦里，它又听到那声音说：“我要做你的朋友。睡觉吧——明天早晨你就看到我了。”

离天亮大约半个钟头，威尔伯醒来竖起耳朵听。谷仓还是黑黑的。羊躺着一动不动。连母鹅也没有声音。头顶上那层也没有一点儿动静：牛在休息，马在打盹。坦普尔顿已经不啃洞，有事上什么地方去了。唯一的声音是屋顶上轻轻的叽嘎声，风标在转来转去。威尔伯喜欢谷仓这个样子——安安静静，等着天亮。

“天就要亮了。”它心里说。

微光透进一扇小窗子。星星一颗接一颗消失。威尔伯已经能看到离它几英尺远的母鹅。它蹲在那里，头塞在翅膀底下。

接着威尔伯又认出羊和小羊羔。天空亮起来了。

“噢，美丽的白天，它终于来了！今天我将找到我的朋友。”

威尔伯到处看，它彻底搜索它的猪圈。它察看了窗台，抬头看天花板，可它没看到新的东西。最后它决定只好开口了。它不想用它的声音打破黎明时分这可爱的寂静，可它想不出别的办法来判断它那位神秘朋友在什么地方，哪儿也看不见它。于是威尔伯清清它的嗓子。

“请注意！”它用坚定的口气大声说，“昨天夜里临睡时对我说话的那位先生或者女士，能够好心地给我点什么指示或者信号，让我知道他或者她是谁吗？”

威尔伯停下来倾听。其他所有牲口都抬起头来看它。威尔伯脸都红了，可它拿定了主意，一定要和它这位不认识的朋友取得联系。

“请注意！”它又说，“我把我的话再说一遍。昨天夜里临睡时对我说话的那位，能够好心开开口吗？如果你是我的朋友，请告诉我你在什么地方！”

那些羊厌恶地你看看我我看看你。

“别乱叫了，威尔伯！”最老的那只羊说，“如果你在这里真有个新朋友，你这样

jiào kǒng pà zhǐ huì dǎ jiǎo tā xiū xi dà qīng zǎo rén jia hái zài shuì
叫恐怕只会打搅他休息，大清早人家还在睡
jiào nǐ què bǎ tā chǎo xǐng zhè zuì róng yì shāng hài gǎn qíng pò
觉，你却把他吵醒，这最容易伤害感情，破
huài yǒu yì le nǐ zěn me néng kěn dìng nǐ nà wèi péng you shì
坏友谊了。你怎么能肯定，你那位朋友是
zǎo qǐ de ne
早起的呢？”

wǒ qǐng dà jiā yuán liàng wēi ěr bó dī shēng shuō wǒ
“我请大家原谅，”威尔伯低声说，“我
wú yì ràng dà jiā bù gāo xìng
无意让大家不高兴。”

tā guāi guāi de zài féi liào duī shang tǎng xià lái miàn duì zhe
它乖乖地在肥料堆上躺下来，面对着
mén tā bù zhī dào qí shí tā nà wèi péng you jiù zài fù jìn
门。它不知道，其实它那位朋友就在附近。
lǎo yáng shuō de duì zhè wèi péng you hái zài shuì jiào
老羊说得对——这位朋友还在睡觉。

hěn kuài lè wéi jiù ná lái gān jiǎo gěi tā dāng zǎo fàn chī wēi
很快勒维就拿来泔脚给它当早饭吃。威
ěr bó chōng chū qù jí jí máng máng de chī le gè jīng guāng tiǎn
尔伯冲出去，急急忙忙地吃了个精光，舔
zhe shí cáo yáng qún shùn zhe xiǎo lù zǒu le gōng é yì yáo yì bǎi
着食槽。羊群顺着小路走了，公鹅一摇一摆
de gēn zài tā men hòu miàn zhuó zhe qīng cǎo chī jiē xià lái zhèng
地跟在它们后面，啄着青草吃。接下来，正

dāng wēi ěr bó tǎng xià yào dǎ tā de zǎo dǔn shí tā yòu tīng jiàn le
当威尔伯躺下要打它的早盹时，它又听见了
tóu tiān yè lǐ jiào guò tā de xì xiǎo shēng yīn
头天夜里叫过它的细小声音。

jìng lǐ nà shēng yīn shuō
“敬礼！”那声音说。

wēi ěr bó yí xià zi tiào qǐ lái
威尔伯一下子跳起来。

jìng shén me tā jiào dào
“敬——什么？”它叫道。

jìng lǐ nà shēng yīn zài shuō yí biàn
“敬礼！”那声音再说一遍。

zhè huà shì shén me yì si nǐ zài nǎ lǐ wēi ěr bó
“这话是什么意思，你在哪里？”威尔伯
jiān shēng dà jiào xiè xie nǐ xiè xie nǐ gào su wǒ nǐ zài
尖声大叫，“谢谢你，谢谢你告诉我，你在
shén me dì fang shén me shì jìng lǐ
什么地方。什么是敬礼？”

jìng lǐ shì jù wèn hòu huà nà shēng yīn shuō wǒ shuō
“敬礼是句问候话，”那声音说，“我说
jìng lǐ zhè zhǐ shì wǒ xǐ huan yòng zhè zhǒng fāng shì lái biǎo shì
‘敬礼’，这只是我喜欢用这种方式来表示
nǐ hǎo huò zhě nǐ zǎo shuō shí zài de zhè zhǒng fāng
‘你好’或者‘你早’。说实在的，这种方
shì yǒu diǎn shǎ wǒ yě qí guài wǒ zěn me huì shuō guàn le zhì
式有点傻，我也奇怪我怎么会说惯了。至

yú wǒ zài shén me dì fang nà hěn jiǎn dān nǐ zhǐ yào tái tóu cháo
于我在什么地方，那很简单。你只要抬头朝

mén jī jiǎo zhè er kàn kan wǒ jiù zài zhè shàng miàn kàn wǒ
门犄角这儿看看！我就在这上面。看，我

zài huī tuǐ ne
在挥腿呢！”

wēi ěr bó zhōng yú kàn dào le nà me hǎo xīn hǎo yì de duì
威尔伯终于看到了那么好心好意地对

tā shuō huà de dōng xi mén kǒu shàng duān zhāng zhe yì zhāng dà zhī
它说话的东西。门口上端张着一张大蜘

zhū wǎng cóng wǎng dǐng tóu cháo xià diào zhe de shì zhī huī sè dà zhī
蛛网，从网顶头朝下吊着的是只灰色大蜘

zhū tā yǒu yì kē xiàng pí táng dà xiǎo bā tiáo tuǐ tā zhèng
蛛。它有一颗橡皮糖大小，八条腿，它正

zài xiàng wēi ěr bó huī dòng qí zhōng yì tiáo tuǐ yǒu hǎo de dǎ zhe
在向威尔伯挥动其中一条腿，友好地打着

zhāo hu ne xiàn zài kàn jiàn wǒ la tā wèn dào
招呼呢。“现在看见我啦？”它问道。

ō kàn jiàn le hái yòng shuō wēi ěr bó shuō kàn
“噢，看见了，还用说，”威尔伯说，“看

jiàn le yì diǎn bú cuò kàn jiàn le nǐ hǎo nǐ zǎo jìng
见了，一点不错，看见了！你好！你早！敬

lǐ hěn gāo xìng kàn dào nǐ qǐng wèn nǐ jiào shén me míng zi
礼！很高兴看到你。请问你叫什么名字？

wǒ kě yǐ qǐng wèn nǐ de míng zi ma
我可以请问你的名字吗？”

“我的名字嘛，”那蜘蛛说，“叫夏洛。”

“夏洛什么？”威尔伯急着问。

“夏洛·阿·卡瓦蒂卡。不过叫我夏洛就行了。”

“我觉得你很美。”威尔伯说。

“这个嘛，我是美，”夏洛回答说，“这是没说的。几乎所有的蜘蛛都十分美。我还不及有些蜘蛛耀眼，不过我会做到的。我真希望我看你能跟你看我那样清清楚楚，威尔伯。”

“你为什么不能呢？”小猪问道，“我就在这里。”

“没错，不过我近视眼，”夏洛回答说，

“我一向近视得厉害。在某些方面这也很好，可在某些方面就不那么好。看我捆住这只苍蝇吧。”

一只苍蝇本来在威尔伯的食槽上爬，这会儿飞起来，撞到夏洛那个网的底下部分，给黏性的蜘蛛丝缠住了。苍蝇拼命扑打翅膀，想要挣脱逃走。

“首先，”夏洛说，“我向它潜下去。”它头朝前向苍蝇扑下去。它下来时，一根细丝从它后面吐出来。

“接下来，我把它捆住。”它抓住苍蝇，吐出几根丝捆住它，把它翻过来翻过去，捆得它动也不能动。威尔伯惊恐地看着。它简直不能相信它所看到的事，虽然它讨厌苍蝇，却为这一只感到难过。

“好了！”夏洛说，“现在我让它失去知觉，好叫它舒服些。”它咬了苍蝇一口。“它现在什么感觉也没有了，”它说，“它可以当我的美味早餐了。”

“你是说，你吃苍蝇？”威尔伯倒抽一口冷气。

“当然。苍蝇、甲虫、蚱蜢、精选的昆虫、飞蛾、蝴蝶、美味蟑螂、蚊蚋、摇蚊、大蚊、蜈蚣、蚊子、蟋蟀——一切太不小心给我的网捉住了的东西。我得活啊，对吗？”

“当然，当然，”威尔伯说，“它们味道

hǎo ma
好吗？”

tài měi le zì rán wǒ bú shì zhēn de chī diào tā men
“太美了。自然，我不是真的吃掉它们。
wǒ shì hē tā men hē tā men de xiě wǒ shì xuè
我是喝它们——喝它们的血。我嗜血。”
xià luò shuō tā yuè ěr de xì xiǎo shēng yīn gèng xì le gèng yuè
夏洛说，它悦耳的细小声音更细了，更悦
ěr le
耳了。

bié zhè me shuō wēi ěr bó shēn yín dào qǐng bié shuō
“别这么说！”威尔伯呻吟道，“请别说
zhè yàng de huà
这样的话！”

wèi shén me bú shuō zhè shì zhēn de wǒ děi shuō shí
“为什么不说？这是真的，我得说实
huà wǒ duì chī cāng ying hé jiǎ chóng bìng bù zhēn zhèng gǎn dào kuài
话。我对吃苍蝇和甲虫并不真正感到快
huo kě wǒ tiān shēng jiù zhè yàng zhī zhū zǒng děi xiǎng bàn fǎ huó
活，可我天生就这样。蜘蛛总得想办法活
xià qù a pèng qiǎo wǒ shì yí gè jié wǎng zhuō chóng de wǒ zhèng
下去啊，碰巧我是一个结网捉虫的。我正
shì shēng lái jiù jié wǎng zhuō cāng ying hé qí tā kūn chóng zài wǒ
是生来就结网捉苍蝇和其他昆虫。在我
zhī qián wǒ mā ma jié wǎng zhuō chóng zài tā zhī qián tā mā ma
之前，我妈妈结网捉虫。在它之前，它妈妈

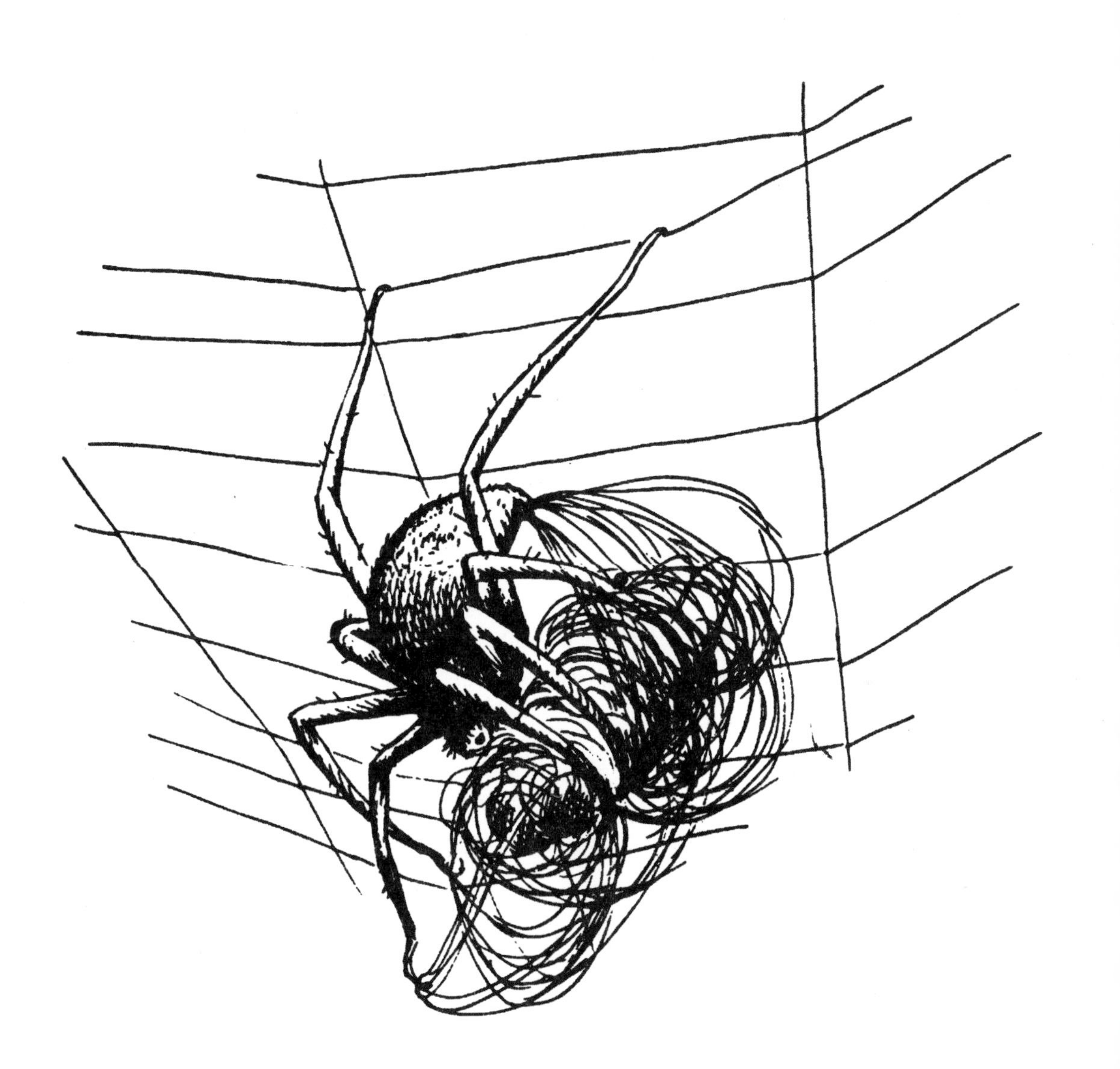

jié wǎng zhuō chóng wǒ men yì jiā dōu jié wǎng zhuō chóng zài huí guò
结网捉虫。我们一家都结网捉虫。再回过
qù jǐ qiān jǐ wàn nián wǒ men zhī zhū yì zhí mái fú zhe zhuō cāng
去几千几万年，我们蜘蛛一直埋伏着捉苍
ying hé jiǎ chóng
蝇和甲虫。”

zhè zhēn shì yì zhǒng bēi cǎn de yí chuán wēi ěr bó nán
“这真是一种悲惨的遗传。”威尔伯难
guò de shuō tā zhī suǒ yǐ zhè me nán guò shì yīn wèi tā zhè wèi
过地说。它之所以这么难过，是因为它这位
xīn péng you nà me shì xuè
新朋友那么嗜血。

bú cuò shì zhè yàng xià luò tóng yì dào kě wǒ méi
“不错，是这样，”夏洛同意道，“可我没
bàn fǎ wǒ bù zhī dào kāi tiān pì dì yǐ lái dì yī zhī zhī zhū
办法。我不知道开天辟地以来，第一只蜘蛛
shì zěn me xiǎng chū jié wǎng zhè ge yì xiǎng tiān kāi de zhǔ yi de
是怎么想出结网这个异想天开的主意的，
kě tā zuò dào le tā yě zhēn jiào cōng míng cóng cǐ yǐ hòu wǒ
可它做到了，它也真叫聪明。从此以后，我
men suǒ yǒu de zhī zhū dōu děi wán tóng yàng de bǎ xì zǒng de shuō
们所有的蜘蛛都得玩同样的把戏。总的说
lái zhè bú shì gè huài diǎn zi
来，这不是个坏点子。”

zhè hěn cán rěn wēi ěr bó huí dá shuō tā bù dǎ suàn
“这很残忍。”威尔伯回答说，它不打算

bèi shuō fú ér fàng qì zì jǐ de lì chǎng
被说服而放弃自己的立场。

zhè ge ma nǐ méi yǒu fā yán quán xià luò shuō
“这个嘛，你没有发言权，”夏洛说，

nǐ shì yǒu rén yòng tǒng zi sòng dōng xi gěi nǐ chī kě méi yǒu
“你是有人用桶子送东西给你吃，可没有

rén gěi wǒ dōng xi chī wǒ děi zì jǐ móu shēng wǒ kào zì jǐ
人给我东西吃。我得自己谋生，我靠自己

de běn shi guò huó wǒ děi jī zhì líng huó yào bù rán jiù ái
的本事过活。我得机智灵活，要不然就挨

è wǒ děi zì jǐ xiǎng bàn fǎ néng zhuō shén me zhuō shén me
饿。我得自己想办法，能捉什么捉什么，

lái shén me zhuō shén me wǒ de péng you pèng qiǎo lái de dōu
来什么捉什么。我的朋友，碰巧来的都

shì cāng ying kūn chóng hé jiǎ chóng zài shuō xià luò dǒu zhe
是苍蝇、昆虫和甲虫。再说，”夏洛抖着

tā de yì tiáo tuǐ shuō nǐ zhī dào ma rú guǒ wǒ bù zhuō jiǎ
它的一条腿说，“你知道吗，如果我不捉甲

chóng bù chī diào tā men jiǎ chóng jiù huì zēng jiā chéng bèi chéng
虫，不吃掉它们，甲虫就会增加，成倍成

bèi de zēng jiā duō de huì pò huài dì qiú bǎ suǒ yǒu de dōng
倍地增加，多得会破坏地球，把所有的东

xi yì sǎo ér guāng
西一扫而光？”

zhēn de wēi ěr bó shuō wǒ bù xī wàng chū zhè yàng
“真的？”威尔伯说，“我不希望出这样

的事。这么说，你的网也许还是个好东西。”

母鹅听到了它们这番对话，在那里格格暗笑。“生活里有许多事威尔伯还不懂，”它想，“它的确是只非常天真的小猪。它甚至不知道到了圣诞节有什么事要临头；它一点不知道，朱克曼先生和勒维正在密谋杀掉它。”母鹅挺起点身子，把底下那些蛋拨开一点，好叫它们充分得到它暖和的身体和蓬松的羽毛的温暖。

夏洛静静地站在苍蝇上面，准备去吃它。威尔伯躺下来闭上眼睛。由于一夜没有睡好，又和陌生人第一次相识太兴奋了，它觉得十分疲倦。微风给它送来红花草的香气——它的围栏外面芬芳天地的香气。“好了，”它心里说，“我终于有一个新朋友了，错不了。可这友谊多么冒风险啊！夏洛凶狠、残忍、狡诈、嗜血——样样都不是我喜欢的。我怎么能学会喜欢它呢？哪怕它好看，当然，又聪明？”

找到一个新朋友，在喜悦之外，常常会同时有一些疑惑和恐惧，可威尔伯却只感受到了疑惑和恐惧。不过到时候它就会发现，它这是错看了夏洛。在夏洛凶猛残忍的外表下，有一颗善良的心，到头来，它会显示出自己是个多么忠实的朋友。

夏日

在农场里，初夏的日子是一年当中最快活最美好的日子。丁香开花，让空气芳香扑鼻。接下来丁香花谢了，苹果树又紧接着开花，蜜蜂围着苹果树飞来飞去。天气越来越暖和。学校放假了，孩子们有工夫玩了，可以到小河边去钓鲑鱼。艾弗里常常在他那衣袋里带条鲑鱼回家，它硬邦邦的、热热的，马上就好煎来在中

饭时吃。

现在学校放假，弗恩几乎天天上谷仓去，静静地坐在她那张凳子上。牲口把她当作自己人。那些羊安静地躺在她的脚旁。

七月初，那些耕马给拴到割草机上，朱克曼先生坐到割草机的座位上面，把割草机拉到地里去。整个上午可以听到割草机绕过来绕过去的嘎嘎声，这时高高的草在割草机横档后面倒下来，排成绿色的长排。到第二天，如果没有雷阵雨，所有的人手都来帮忙耙啊，叉啊，装车啊，这些干草就被高高的干草车运到谷仓去，弗恩和艾弗里高高地坐在干草顶上。接下来，这些香喷喷热烘烘的干草给吊到那大阁楼上，直到整个谷仓像是一张猫尾草和红花草的大草床。跳进去真痛快，躲在草里连人都找不到。有时候艾弗里会在草里找到一条小草蛇，把它塞进衣袋，衣袋里杂七杂八的东西又多了一样。

初夏的日子对于小鸟来说是个喜庆时节。田野上，房子周围，谷仓里，林子里，沼地里——到处是小鸟在谈情说爱，在唱歌，到处是鸟窝，是鸟蛋。在林边，白喉带鹀（一定是老远从波士顿飞来的）大叫："噢，皮博迪，皮博迪，皮博迪！"在一根苹果树枝上，那东菲比霸摇头摆尾说：“菲比，菲——比！”知道生命有多短促和可爱的歌雀说：“甜滋滋、甜滋滋、甜滋滋的插曲；甜滋滋、甜滋滋、甜滋滋的插曲！”你一走进谷仓，燕子就会从它们的窝里飞下来责备你说：“放肆，放肆！”

在初夏的日子里有许多东西可以给孩子吃、喝、吸、嚼。蒲公英秆充满乳液，红花草球充满蜜汁，电冰箱里当然装满冰凉的饮料。不管朝哪里看都是勃勃生机，甚至把野草梗上的小绒球拨开，里面也会有一条青虫。土豆藤上的叶片背后有马铃薯甲虫发亮的橙色虫卵。

在初夏的一天，那些鹅蛋终于孵出小鹅来了。在仓底这儿，这可是一件大事。小鹅孵出来时，弗恩正坐在她的凳子上。

除了母鹅自己，夏洛是第一个知道小鹅终于出世的。母鹅早一天就知道它们要诞生——它能听到它们在蛋里很微弱的叫声。它知道它们在蛋壳里姿势极其别扭，急着要把蛋壳啄破出来。因此它很镇静，说话比平时少。

当第一只小鹅刚从母鹅羽毛间伸出它深绿色的小脑袋朝四周张望时，就被夏洛看到了，它马上向大家宣布。

“我想，”它说，“我们仓底这儿的每一

wèi dōu huì hěn gāo xìng de zhī dào wǒ men de mǔ é lǎo péng you jīng
位都会很高兴地知道，我们的母鹅老朋友经
guò sì gè xīng qī bú xiè de nǔ lì hé nài xīn zhào liào xiàn zài yǒu
过四个星期不懈的努力和耐心照料，现在有
xiē bǎo bèi yào gěi wǒ men kàn kan le xiǎo é dàn shēng la qǐng
些宝贝要给我们看看了。小鹅诞生啦。请
yǔn xǔ wǒ biǎo shì zhōng xīn de zhù hè
允许我表示衷心的祝贺！”

xiè xie nǐ xiè xie nǐ xiè xie nǐ mǔ é bú pà
“谢谢你，谢谢你，谢谢你！”母鹅不怕
nán wéi qíng de diǎn tóu jū gōng shuō
难为情地点头鞠躬说。

xiè xie nǐ xiè xie nǐ xiè xie nǐ gōng é shuō
“谢谢你，谢谢你，谢谢你！”公鹅说。

zhù hè nǐ wēi ěr bó dà jiào yǒu duō shao zhī xiǎo
“祝贺你！”威尔伯大叫，“有多少只小
é a wǒ zhǐ kàn dào yì zhī
鹅啊？我只看到一只。”

yí gòng qī zhī mǔ é shuō
“一共七只。”母鹅说。

hǎo jí le xià luò shuō qī shì gè xìng yùn shù zì
“好极了！”夏洛说，“七是个幸运数字。”

zhè gēn xìng yùn méi yǒu guān xi mǔ é shuō zhè shì
“这跟幸运没有关系，”母鹅说，“这是
jīng xīn zhào liào hé xīn kǔ gōng zuò de jié guǒ
精心照料和辛苦工作的结果。”

zhè shí hou tǎn pǔ ěr dùn cóng wēi ěr bó de shí cáo dǐ xia
这时候，坦普尔顿从威尔伯的食槽底下
lòu chū bí zi tā kàn kan fú ēn rán hòu jǐn kào zhe qiáng biān
露出鼻子。它看看弗恩，然后紧靠着墙边，
xiǎo xīn yì yì de xiàng mǔ é pá qù dà jiā dīng zhù tā kàn yīn
小心翼翼地向母鹅爬去。大家盯住它看，因
wèi tā bú shòu dà jiā huān yíng bú bèi dà jiā xìn rèn
为它不受大家欢迎，不被大家信任。

wǒ shuō tā yòng tā nà jiān sǎng zi shuō qǐ lái nǐ
“我说，”它用它那尖嗓子说起来，“你
shuō nǐ yǒu qī zhī xiǎo é kě yuán lái yǒu bā gè é dàn a hái
说你有七只小鹅，可原来有八个鹅蛋啊。还
yǒu yí gè dàn chū shén me shì la tā wèi shén me méi yǒu fū chū
有一个蛋出什么事啦？它为什么没有孵出
xiǎo é lái a
小鹅来啊？”

wǒ cāi xiǎng zhè shì gè fū bù chū xiǎo é de dàn mǔ
“我猜想这是个孵不出小鹅的蛋。”母
é shuō
鹅说。

nǐ dǎ suàn bǎ tā zěn me yàng ne tǎn pǔ ěr dùn
“你打算把它怎么样呢？”坦普尔顿
shuō xià qù tā nà shuāng yuán gǔn gǔn de xiǎo yǎn jing dīng zhù mǔ
说下去，它那双圆滚滚的小眼睛盯住母
é kàn
鹅看。

“就给你吧，”母鹅回答说，“把它滚走，加到你那些该死的收藏品里去吧。”（坦普尔顿有这样一个嗜好，爱把农场周围不寻常的东西收来，藏在它的家里——它积攒各种东西。）

“当然，当然，当然，”公鹅说，“这个蛋你可以拿走，不过有一件事我告诉你，坦普尔顿，万一让我看到你在我这些小鹅身边探头探脑，伸出——伸出——伸出你的丑鼻子，我会给你老鼠从没挨过的最狠的打击。”公鹅张开它强壮的翅膀，扑打空气，表现它多么有力气。它又强壮又勇敢，不过事实是，母鹅公鹅都很担心这个坦

pǔ ěr dùn zhè shì wán quán yǒu dào lǐ de zhè lǎo shǔ bù jiǎng
普尔顿。这是完全有道理的。这老鼠不讲
dào dé méi yǒu liáng xīn wú suǒ gù jì bù xiǎng bié rén háo bú
道德，没有良心，无所顾忌，不想别人，毫不
zhèng pài méi yǒu niè chǐ dòng wù de shàn liáng tiān xìng méi yǒu nèi
正派，没有啮齿动物的善良天性，没有内
jiù méi yǒu gāo shàng de gǎn qíng méi yǒu jiāo qing shén me yě méi
疚，没有高尚的感情，没有交情，什么也没
yǒu rú guǒ tā yǎo sǐ le xiǎo é néng táo tuō zuì zé tā shì huì
有。如果它咬死了小鹅能逃脱罪责，它是会
yǎo sǐ xiǎo é de mǔ é xīn zhōng yǒu shù
咬死小鹅的——母鹅心中有数。

gè gè xīn zhōng dōu yǒu shù mǔ é yòng tā kuān kuān de
个个心中都有数。母鹅用它宽宽的
yìng zuǐ bǎ nà ge fū bù chū xiǎo é de dàn cóng wō li bō chū
硬嘴把那个孵不出小鹅的蛋从窝里拨出
lái dà jiā dà dào wèi kǒu de kàn zhe lǎo shǔ bǎ tā gǔn zǒu lián
来，大家大倒胃口地看着老鼠把它滚走。连
jī hū shén me dōu chī de wēi ěr bó yě xià huài le tā gū lu
几乎什么都吃的威尔伯也吓坏了。它咕噜
shuō xiǎng yì xiǎng ba lián yí gè háo wú yòng chù de lǎo huài dàn
说："想一想吧，连一个毫无用处的老坏蛋
yě yào
也要！"

lǎo shǔ dào dǐ shì lǎo shǔ xià luò shuō tā fā chū
"老鼠到底是老鼠，"夏洛说，它发出

轻轻的银铃般的笑声，“不过我的朋友们，万一那老掉牙的蛋破了，谷仓可就受不了啦。”

“什么意思？”威尔伯问道。

“我是说，由于它的气味，在这里谁也没法待下去。一个坏蛋就等于一个地地道道的臭蛋。”

“我不会让它打破的！”坦普尔顿叫道，“我知道我在干什么，这样的东西我一直在摆弄。”

它把那鹅蛋推在前面，钻进它的地道不见了。它推啊推，直到成功地把它滚进食槽底下的老鼠洞里。

nà tiān xià wǔ děng dào fēng tíng le gǔ cāng yuàn zi jìng qiāo
那天下午，等到风停了，谷仓院子静悄
qiāo nuǎn yáng yáng de huī mǔ é dài zhe qī zhī xiǎo é lí kāi tā
悄暖洋洋的，灰母鹅带着七只小鹅离开它
de wō lái dào wài miàn de dà shì jiè zhū kè màn xiān sheng lái
的窝，来到外面的大世界。朱克曼先生来
gěi wēi ěr bó sòng fàn shí kàn dào le
给威尔伯送饭时，看到了。

āi yā hǎo a tā mǎn miàn xiào róng de shuō ràng
“哎呀，好啊，”他满面笑容地说，“让
wǒ shǔ shu kàn yī èr sān sì wǔ liù qī yí
我数数看……一，二，三，四，五，六，七。一
gòng qī zhī é bǎo bao nà bú shì hǎo jí le ma
共七只鹅宝宝——那不是好极了嘛！”

huài xiāo xi

坏消息

wēi ěr bó yì tiān bǐ yì tiān xǐ huan xià luò tā hé kūn chóng
威尔伯一天比一天喜欢夏洛。它和昆虫
zuò zhàn sì hū shì yǒu dào lǐ de shì yǒu yòng de nóng chǎng méi yǒu
作战似乎是有道理的，是有用的。农场没有
shéi huì shuō cāng ying de hǎo huà cāng ying yí bèi zi dōu zài sāo rǎo bié
谁会说苍蝇的好话。苍蝇一辈子都在骚扰别
rén niú hèn tā men mǎ tǎo yàn tā men yáng zēng wù tā men zhū
人。牛恨它们，马讨厌它们，羊憎恶它们。朱
kè màn xiān sheng hé tài tai yì zhí bào yuàn tā men hái zhuāng shàng le
克曼先生和太太一直抱怨它们，还装上了
shā chuāng
纱窗。

wēi ěr bó pèi fú xià luò de zuò fǎ tè bié xīn shǎng tā zài
威尔伯佩服夏洛的做法，特别欣赏它在
chī tā men zhī qián xiān ràng tā men shuì zháo
吃它们之前先让它们睡着。

nǐ zhè yàng zuò shí zài yǒu tóu nǎo xià luò tā shuō
“你这样做实在有头脑，夏洛。”它说。

shì de xià luò yòng tā chàng gē shì de tián měi de shēng
“是的，”夏洛用它唱歌似的甜美的声
yīn shuō wǒ yì zhí xiān má zuì tā men ràng tā men bù gǎn dào tòng
音说，“我一直先麻醉它们，让它们不感到痛
kǔ zhè shì wǒ néng bāng de yì diǎn er xiǎo xiǎo de máng
苦。这是我能帮的一点儿小小的忙。”

rì zi yì tiān tiān guò qù wēi ěr bó yuè zhǎng yuè dà tā
日子一天天过去，威尔伯越长越大。它
yì tiān dà chī sān dùn tā shū shū fu fu de cè shēn tǎng shàng hěn
一天大吃三顿。它舒舒服服地侧身躺上很
cháng shí jiān bàn shuì bàn xǐng zuò zhe měi mèng tā shēn tǐ hěn bàng
长时间，半睡半醒，做着美梦。它身体很棒，
pàng le xǔ duō yì tiān xià wǔ dāng fú ēn zhèng zuò zài tā de dèng
胖了许多。一天下午，当弗恩正坐在她的凳
zi shang shí zuì lǎo de nà zhī yáng zǒu jìn gǔ cāng tíng xià lái kàn
子上时，最老的那只羊走进谷仓，停下来看
wēi ěr bó
威尔伯。

nǐ hǎo tā shuō wǒ jué de nǐ fā fú le
“你好，”它说，“我觉得你发福了。”

shì de wǒ xiǎng shì de wēi ěr bó huí dá shuō zài
“是的，我想是的，”威尔伯回答说，“在
wǒ zhè ge suì shu bú duàn zhǎng pàng shì jiàn hǎo shì
我这个岁数，不断长胖是件好事。”

fǎn zhèng wǒ bú xiàn mù nǐ nà lǎo yáng shuō nǐ zhī
“反正我不羡慕你，”那老羊说，“你知
dào tā men wèi shén me ràng nǐ zhǎng pàng ma
道他们为什么让你长胖吗？”

bù zhī dào wēi ěr bó shuō
“不知道。”威尔伯说。

ài wǒ bù xiǎng dāng xiǎo guǎng bō lǎo yáng shuō bú
“唉，我不想当小广播，”老羊说，“不
guò tā men ràng nǐ zhǎng pàng zhǐ wèi le yào shā nǐ jiù shì zhè me
过他们让你长胖只为了要杀你，就是这么
huí shì
回事。”

tā men yào zuò shén me wēi ěr bó jiān jiào qǐ lái
“他们要做什么？”威尔伯尖叫起来。

fú ēn zài tā de dèng zi shang dāi zhù le
弗恩在她的凳子上呆住了。

shā nǐ bǎ nǐ biàn chéng xūn ròu huǒ tuǐ lǎo yáng shuō xià
“杀你，把你变成熏肉火腿，”老羊说下
qù yí dào tiān qì biàn de shí zài tài lěng shí jī hū suǒ yǒu de
去，“一到天气变得实在太冷时，几乎所有的
zhū nián jì qīng qīng de jiù dōu bèi nóng mín shā le zài zhè lǐ shèng
猪年纪轻轻地就都被农民杀了。在这里，圣
dàn jié shā nǐ men shì yì zhǒng gù dìng de yīn móu huó dòng rén rén cān
诞节杀你们是一种固定的阴谋活动。人人参
yù lè wéi zhū kè màn shèn zhì yuē hàn ā lā bù ěr
与——勒维，朱克曼，甚至约翰·阿拉布尔。”

ā lā bù ěr xiān sheng wēi ěr bó kū qǐ lái fú ēn
“阿拉布尔先生？”威尔伯哭起来，“弗恩
de bà ba
的爸爸？”

dāng rán shā zhū rén rén bāng máng wǒ shì zhī lǎo yáng yì
“当然，杀猪人人帮忙。我是只老羊，一
nián yòu yì nián zhè tóng yàng de shì qing kàn duō le dōu shì lǎo yí
年又一年，这同样的事情看多了，都是老一
tào nà ge ā lā bù ěr ná zhe tā nà zhī diǎn èr èr kǒu jìng bù
套。那个阿拉布尔拿着他那支点二二口径步
qiāng dào zhè lǐ yì qiāng
枪到这里，一枪……”

bié shuō le wēi ěr bó jiān jiào wǒ bú yào sǐ jiù
“别说了！”威尔伯尖叫，“我不要死！救
jiu wǒ nǐ men nǎ yí wèi jiù jiu wǒ
救我，你们哪一位！救救我！”

fú ēn zhèng yào tiào qǐ lái tīng jiàn le yí gè shēng yīn
弗恩正要跳起来，听见了一个声音。

ān jìng diǎn wēi ěr bó yì zhí zài tīng zhè fān kě pà tán
“安静点，威尔伯！”一直在听这番可怕谈
huà de xià luò shuō
话的夏洛说。

wǒ méi fǎ ān jìng wēi ěr bó pǎo guò lái pǎo guò qù
“我没法安静，”威尔伯跑过来跑过去，
jiān jiào zhe shuō wǒ bú yào gěi yì qiāng shè sǐ wǒ bú yào sǐ
尖叫着说，“我不要给一枪射死，我不要死！

老羊说的是真的吗，夏洛？天冷了他们要杀我，这是真的吗？”

“这个嘛，”蜘蛛弹拨着它的网，动着脑筋，“老羊在这谷仓里很久了，它看到许多春猪来了又走了。如果它说他们打算杀你，我断定这是真的。这也是我听到过的最肮脏的勾当，有什么事人想不出来啊！”

威尔伯哇哇大哭。“我不要死，”它呻吟说，“我要活，我要活在这舒服的肥料堆上，和我所有的朋友在一起。我要呼吸美丽的空气，躺在美丽的太阳底下……”

“你发出的吵闹声实在够美丽。”老羊厉声对它说。

wǒ bú yào sǐ wēi ěr bó pū dǎo zài dì shang jiān jiào
“我不要死！”威尔伯扑倒在地上尖叫。

nǐ bú huì sǐ xià luò mǎ shàng shuō
“你不会死。”夏洛马上说。

shén me zhēn de ma wēi ěr bó jiào dào shéi lái jiù
“什么？真的吗？”威尔伯叫道，“谁来救
wǒ ne
我呢？”

wǒ jiù nǐ xià luò shuō
“我救你。”夏洛说。

zěn me jiù wēi ěr bó wèn dào
“怎么救？”威尔伯问道。

zhè děi zǒu zhe qiáo bú guò wǒ yào jiù nǐ de nǐ gěi wǒ
“这得走着瞧。不过我要救你的，你给我
mǎ shàng ān jìng xià lái nǐ tài hái zi qì le nǐ mǎ shàng tíng
马上安静下来。你太孩子气了。你马上停
zhǐ bié kū le zhè zhǒng xiē sī dǐ lǐ wǒ shòu bù liǎo
止，别哭了！这种歇斯底里我受不了。”

jiā li de tán huà

家里的谈话

xīng qī rì zǎo chen ā lā bù ěr xiān sheng hé tài tai gēn fú
星期日早晨，阿拉布尔先生和太太跟弗
ēn yì qǐ zuò zài chú fáng li chī zǎo fàn ài fú lǐ yǐ jīng chī hǎo
恩一起坐在厨房里吃早饭。艾弗里已经吃好，
zhèng zài lóu shàng zhǎo tā de dàn gōng
正在楼上找他的弹弓。

nǐ men zhī dào ma huò mò jiù jiu de xiǎo é yǐ jīng fū chū
“你们知道吗，霍默舅舅的小鹅已经孵出
lái le fú ēn wèn dào
来了？”弗恩问道。

duō shao zhī ā lā bù ěr xiān sheng wèn dào
“多少只？”阿拉布尔先生问道。

qī zhī fú ēn huí dá dàn yǒu bā gè kě qí zhōng
“七只，”弗恩回答，“蛋有八个，可其中
yí gè méi fū chū xiǎo é lái mǔ é duì tǎn pǔ ěr dùn shuō zhè dàn
一个没孵出小鹅来，母鹅对坦普尔顿说，这蛋

tā bú yào le tǎn pǔ ěr dùn kě yǐ bǎ tā ná zǒu
它不要了，坦普尔顿可以把它拿走。”

nǐ shuō mǔ é shén me ā lā bù ěr tài tai yòng qí guài
“你说母鹅什么？”阿拉布尔太太用奇怪
yòu dān xīn de mù guāng kàn zhe nǚ ér wèn dào
又担心的目光看着女儿，问道。

tā duì tǎn pǔ ěr dùn shuō zhè dàn tā bú yào le fú ēn
“它对坦普尔顿说，这蛋它不要了。”弗恩
zài shuō yí biàn
再说一遍。

zhè tǎn pǔ ěr dùn shì shéi ā lā bù ěr tài tai yòu wèn
“这坦普尔顿是谁？”阿拉布尔太太又问。

shì zhī lǎo shǔ fú ēn huí dá shuō wǒ men méi yǒu yí
“是只老鼠，”弗恩回答说，“我们没有一
gè xǐ huan tā
个喜欢它。”

nǐ shuō de wǒ men shì shéi ā lā bù ěr tài tai
“你说的‘我们’是谁？”阿拉布尔太太
wèn dào
问道。

ò zài cāng dǐ de dà huǒ er a wēi ěr bó dà yáng
“哦，在仓底的大伙儿啊。威尔伯，大羊
xiǎo yáng mǔ é gōng é xiǎo é xià luò hái yǒu wǒ
小羊，母鹅公鹅小鹅，夏洛，还有我。”

xià luò ā lā bù ěr tài tai shuō xià luò shì shéi
“夏洛？”阿拉布尔太太说，“夏洛是谁？”

shì wēi ěr bó zuì hǎo de péng you tā cōng míng jí le
“是威尔伯最好的朋友。它聪明极了。”

shì shén me yàng zi de ā lā bù ěr tài tai wèn dào
“是什么样子的？”阿拉布尔太太问道。

zhè gè ma fú ēn yì biān xiǎng yì biān huí
“这——个嘛，”弗恩一边想一边回
dá tā yǒu bā tiáo tuǐ wǒ xiǎng suǒ yǒu de zhī zhū dōu yǒu bā
答，“它有八条腿。我想所有的蜘蛛都有八
tiáo tuǐ
条腿。”

xià luò shì zhī zhī zhū fú ēn de mā ma wèn dào
“夏洛是只蜘蛛？”弗恩的妈妈问道。

fú ēn diǎn dian tóu yì zhī huī sè de dà zhī zhū tā zài
弗恩点点头。“一只灰色的大蜘蛛。它在
wēi ěr bó de mén kǒu dǐng shàng zhī le zhāng wǎng tā zhuō cāng ying xī
威尔伯的门口顶上织了张网。它捉苍蝇吸
tā men de xiě wēi ěr bó duì tā pèi fú jí le
它们的血。威尔伯对它佩服极了。”

wēi ěr bó zhēn zhè yàng ā lā bù ěr tài tai hán hán
“威尔伯真这样？”阿拉布尔太太含含
hu hu de shuō tā kàn zhe fú ēn de liǎn shí fēn dān xīn de
糊糊地说。她看着弗恩的脸，十分担心的
yàng zi
样子。

ō shì de wēi ěr bó pèi fú xià luò fú ēn shuō
“噢，是的，威尔伯佩服夏洛，”弗恩说，

nǐ zhī dào nà xiē xiǎo é fū chū lái nà huì er xià luò shuō le shén
“你知道那些小鹅孵出来那会儿，夏洛说了什
me ma
么吗？”

wǒ yì diǎn er yě xiǎng bù chū lái ā lā bù ěr tài tai
“我一点儿也想不出来，”阿拉布尔太太
shuō gào su wǒ ba
说，“告诉我吧。”

ǹg dāng dì yī zhī xiǎo é cóng mǔ é dǐ xia shēn chū tā nà
“嗯，当第一只小鹅从母鹅底下伸出它那
xiǎo nǎo dai de shí hou wǒ zhèng zuò zài jiǎo luò de nà zhāng dèng zi
小脑袋的时候，我正坐在角落的那张凳子
shang xià luò dūn zài tā de wǎng shang tā fā biǎo le yì piān yǎn jiǎng
上，夏洛蹲在它的网上。它发表了一篇演讲。
tā shuō wǒ xiǎng wǒ men cāng dǐ zhè er de měi yí wèi dōu huì hěn
它说：‘我想我们仓底这儿的每一位都会很
gāo xìng de zhī dào wǒ men de mǔ é lǎo péng you jīng guò sì gè xīng
高兴地知道，我们的母鹅老朋友经过四个星
qī bú xiè de nǔ lì hé nài xīn zhào liào xiàn zài yǒu xiē bǎo bèi yào
期不懈的努力和耐心照料，现在有些宝贝要
gěi wǒ men kàn kan le nǐ bù jué de tā shuō chū zhè yàng de huà
给我们看看了。’你不觉得，它说出这样的话
lái hěn bàng ma
来很棒吗？”

shì de wǒ jué de shì hěn bàng ā lā bù ěr tài tai
“是的，我觉得是很棒，”阿拉布尔太太

shuō bú guò xiàn zài fú ēn gāi shàng zhǔ rì xué xiào qù le
说，“不过现在，弗恩，该上主日学校[1]去了。
jiào ài fú lǐ kuài zhǔn bèi hǎo nǐ kě yǐ xià wǔ zài gào su wǒ huò
叫艾弗里快准备好。你可以下午再告诉我霍
mò jiù jiu nà gǔ cāng li de shì nǐ zài nà lǐ shì bú shì huā le
默舅舅那谷仓里的事。你在那里是不是花了
xǔ duō shí jiān a nǐ jī hū tiān tiān xià wǔ dōu dào nà lǐ qù duì
许多时间啊？你几乎天天下午都到那里去，对
bú duì
不对？”

wǒ xǐ huan nà lǐ fú ēn huí dá shuō tā cā guo zuǐ
“我喜欢那里。”弗恩回答说。她擦过嘴
jiù shàng lóu qù le tā lí kāi chú fáng yǐ hòu ā lā bù ěr tài
就上楼去了。她离开厨房以后，阿拉布尔太
tai xiǎo shēng duì tā de zhàng fu shuō huà
太小声对她的丈夫说话。

wǒ wèi fú ēn dān xīn tā shuō nǐ tīng dào tā dū lu
“我为弗恩担心，”她说，“你听到她嘟噜
dū lu tán nà xiē dòng wù le ma shuō de hǎo xiàng tā men huì jiǎng
嘟噜谈那些动物了吗？说得好像它们会讲
huà shì de
话似的。”

---

zhǔ rì xué xiào shì xīng qī rì duì ér tóng jìn xíng zōng jiào jiào yù de xué xiào dà duō fù shè zài jiào táng li
1 主日学校是星期日对儿童进行宗教教育的学校，大多附设在教堂里。

阿拉布尔先生格格笑。“也许它们真会说话，”他说，“我有时候也怀疑它们是不是会说话。反正不用为弗恩担心——一切只是出于她活灵活现的想象。小娃娃以为他们听到了各种东西。”

“我还是真为她担心，”阿拉布尔太太回答说，“下一回我看到多里安医生，我想问问他弗恩这事。他几乎和我们一样爱弗恩，我要让他知道，她对于那只小猪和所有事情的举动有多么古怪。我认为这不正常。你很清楚，动物不会说话的。”

阿拉布尔先生咧开嘴笑。“也许我们的耳朵没有弗恩的尖。”他说。